남사예담촌

화가 이호신李鎬信(아호: 현석玄石, 검돌, 검은돌, 1957년생)은 자연과 인간이 조화롭게 상생하는 세계, 그 아름다운 시공간을 재발견하는 동시에 진정한 삶의 본질을 일깨워주는 그림과 글을 꾸준히 발표해왔다. 그의 붓길은 오랫동안 소중한 문화유산과 자연생태를 탐사해왔다. 그 중에서도 수년 전부터 우리 산하에 흩어져 있는 정겨운 마을과 그리운 사람들의 품속 깊이 스며들어가 마음의 눈으로 그려낸 그림들은 큰 관심을 모으고 있다. 우리가 잃어버린 삶의 진원지를 돌아보고 혼란스러운 정체성을 정립하게 만드는 미적 성찰이 마을 연작들 곳곳에 자연스레 녹아 있는 까닭이다.

겸허한 열정과 자유로운 실험정신을 함께 지닌 이호신은 지금까지 20차례 개인전을 열었으며, 그의 주요 작품들은 국립현대미술관, 영국 대영박물관, 이화여자대학교 박물관, 주 탄자니아 한국대사관 등 여러 곳에 소장되어 있다. 2017년 정부로부터 문화포장을 수훈했다.

지은 책으로는 『지리산둘레길 그림 편지』(공저), 『화가의 시골편지』, 『지리산진경』, 『가람진경』, 『근원의 땅, 원주 그림순례』, 『남사예담촌』, 『우리마을 그림순례』, 『그리운 이웃은 마을에 산다』, 『나는 인도를 보았는가』, 『달이 솟는 산마을』, 『풍경소리에 귀를 씻고』, 『숲을 그리는 마음』, 『길에서 쓴 그림일기』 등이 있다. • lhs1957@nate.com

문화와 자연이 살아 숨쉬는 멋고을 그림 이야 기(개정판)

# 남사예담촌

이호신 엮음 ─ 그림 · 글

뜨란

일러두기

• 이 책의 모든 그림은 사시사철 마을 현장을 사생하여 재구성한 것입니다. 특히 문화유산은
  원형의 모습을 기리어 복원한 부분도 있습니다. 앞으로 정비할 사안을 염두에 둔 것입니다.
• 문화유산 현장은 다양한 절기로 나타냈는데, 주요 자연유산과 생태가 어우러진 계절에 맞추어
  그렸습니다. 마을의 자연경관과 생물들은 가능한 한 봄, 여름, 가을, 겨울 순으로 실었습니다.
• 글 중에서 한문 표기는 ( ) 안에 넣었고, 중복될 때에는 한글로만 쓰고, 인물의 존칭은 생략했습니다.
• 부록을 만들어 마을의 역사자료와 문헌, 성씨계보, 비문, 마을 행사 등을 살필 수 있도록 했습니다.
• 작품 규격은 국제표준에 따라 세로×가로로 표기했습니다.

봄이면
꽃구름같은 매향이
담장너머로 번지고
가을엔 별처럼 창공에
알알이 등불을 켜는
감나무 마을
남사예담촌

지게는 김을돌

# 개정판을 내면서

'문화와 자연이 살아 숨쉬는 멋고을 그림이야기'『남사예담촌』은 2012년에 출간된 책입니다. 이후 시간이 흐르면서 남사예담촌에 여러 가지 변화가 생겼고, 그 내용을 반영하여 개정판을 펴내게 되었습니다. 책의 표지에는 마을의 입향조(入鄕祖)가 심은 원정매(元正梅)를 담았습니다.

몇 가지 수정내용을 첨삭하고 새 그림과 설명을 넣었습니다. 새로 건립된 '기산국악당(岐山國樂堂)'과 '유림독립운동기념관(儒林獨立運動紀念館)'이 대표적입니다. 한 마을 단위에 이렇듯 중요한 문화와 정신유산을 지닌 곳은 전국에서도 드뭅니다. 이에 많은 이웃들이 찾아주기를 고대하며 소개합니다.

또한 마을의 성씨 중 성주이씨의 '이제개국공신교서(李濟開國功臣敎書)'가 국보로 지정(국보 제324호, 진주박물관 소장, 2018. 6. 27)되는 경사도 있었습니다. 이일은 마을을 넘어 산청의 자랑이기도 합니다.

무엇보다 남사예담촌이 '한국에서 가장 아름다운 마을' 제1호로 지정(2011년)

된 명예를 지켜나가는 데 이 책이 도움되기를 바랍니다. 그리고 오늘은 물론 먼 훗날 이 마을에 살다간 사람들의 이야기가 전해지기를 희망해 봅니다. 부디 서로 화합하여 이웃마을에 모범이 되기를 기대합니다. 그리고 관광지가 아닌 '문화마을'로 가꾸어지기를 소망합니다.

개정판을 내면서 그동안 사랑해 주신 독자님들께 깊이 감사드리며 새 모습으로 인사드립니다.

2018년 여름,
남사예담촌 오늘화실에서
이호신(李鎬信) 삼가

# 마을 그림책을 펴내며

우리에게 마을이란 무엇일까요?

사람이 세상에 태어나 홀로 살 수 없기에 가족을 이루고 나아가 이웃을 삶의 둥지로 여긴 것이 마을의 모태이겠지요.

누구나 운명적으로 한 시대의 시간과 공간 속에서 살아가는 인생이고 삶입니다. 그 생존의 터전에서 정서가 싹트고 우리는 배움과 꿈을 향해 나아갑니다. 삶의 진원지인 고향은 마르지 않는 강물이요, 어디에서도 그리워지는 영혼의 샘입니다.

여기 한국인이면 누구에게나 마음의 고향 같은 마을이 있습니다. 지리산 자락의 산청군이 품고 있는 '남사예담촌'입니다. 기록상 적어도 700여 년 전부터 형성된 마을로 '자연유산'과 '문화유산'이 풍부하고 수려한 고장이지요.

지난 수십 년 동안 이 마을은 많이 변하고 바뀌었습니다. 어느 곳도 피할 수 없는 근현대의 산업화, 정보화시대 속에 이농과 출향이 끊이지 않았고 생활자원이 달라졌지요. 그럼에도 불구하고 '남사예담촌'은 여전히 아름답습니다.

'샘이 깊은 역사와 뿌리 깊은 자연'이 도처에서 빛을 발하고 향기를 전해주기 때

문입니다. 강물이 흐르는 마을의 유래를 거슬러 오랜 역사의 샘터를 찾아가는 일이 이 그림책의 여정입니다.

그 길고 깊은 마을 이야기를 한 권의 그림책으로 다 드러낼 수는 없겠지요. 하지만 이 마을을 통해 우리가 추구해야 할 삶의 행복과 상생의 길을 모색해보는 것은 매우 의미 있는 일이라고 믿습니다. 또한 마을의 역사와 문화 그리고 자연의 고마움을 되새김으로써 오늘은 물론 미래의 주인들에게도 지침이 되리라 생각합니다.

우연찮게도 필자가 마을 그림을 그리던 중 남사예담촌이 '한국에서 가장 아름다운 마을 제1호'로 선정되는 경사가 있었습니다(부록 216쪽). 붓을 든 저로서는 사실 반가움에 앞서 부담과 망설임이 컸습니다. 하지만 객관적으로 보고 느낀 현실에 기초한 그림과 다양한 문헌을 참고로 기술하려고 했습니다.

십수 년간 전국의 마을을 순례하며 그림을 그려온 필자의 결론은 하나입니다. 어느 고장도 이상향은 없으며 행복하기만 한 마을은 없었다는 것입니다.

다만 더 나은 삶을 위해 애쓰고 노력하는 모습에서 감동을 받았지요. 그 진정한 의지가 '아름다운 마을'이 되는 길로 느껴졌습니다.

필자와는 각별하게 스무 해 이전부터 발길이 닿았고, 이제는 머물게 된 이 마을과의 인연을 기려 다시 붓을 들고 기록을 살펴봅니다. 사계절 꽃이 피고 지는 마을의 모든 생명과 유산들을 되새겨봅니다.

'문명이 발명'이라면 '문화는 발견'이라는 덕목을 지니지요. "아름다운 것은 스스로 아름다워지지 않는다. 사람을 통해 그 아름다움이 드러난다(美不自美因人而彰)"고 한 당나라의 문장가 유종원의 말과 '세상 일은 사랑하는 자가 곧 주인'이라는 역설을 상기하며 부족한 붓과 펜을 들었습니다.

그림은 자연유산과 문화유산이 중심이되 오늘의 삶이 함께하는 '생활산수화(生活山水畵)'이기를 염두에 두었습니다. 풀 한 포기, 꽃과 새, 물고기와 곤충들 모두가 이곳의 구성원으로 함께 자리하고 있습니다.

그리고 사계절의 변화 속에 그윽한 마을의 옛집과 담장, 노거수(老巨樹)들의 기상을 담았습니다.

특히 문화유산 중 보존 상태와 원형이 훼손된 것은 본래의 모습으로, 당시의 상태를 화폭에 되살렸습니다. 선비의 체취와 학문의 산실, 그리고 풍류의 낭만을 나누고 싶어서이지요. 한편 앞으로 관계 기관과 주민들이 뜻을 모아 그 소중한 유산을 복원해주기를 바라기 때문입니다.

글은 가능한 쉽게 풀어서 한글세대 누구나 이해할 수 있도록 하였고, 각성(各姓)바지 마을에 대해서는 객관적 서술을 기초로 했습니다. 또 참고자료와 마을 행사, 성씨계보, 남사리 연혁 등은 〈부록〉에 넣어 마을의 역사와 현실을 살피는 데 도움이 되도록 엮었습니다.

아무리 좋은 마을도 오늘의 주민이 행복하지 못하면 의미가 없지요. 주민들의 협조 속에 출간되는 이 책을 통해 긍지와 화합이 더해지고 남사예담촌을 사랑하는 모든 이들에게 선물이 되길 바랍니다. '아름다운 마을'로 선정된 자부심과 함께 책임감을 갖고 보다 나은 마을을 가꾸어가기 위해 다시 씨를 뿌리는 마음이 모이기를 기대합니다. 국내는 물론 많은 외국인에게도 한국인의 정서와 자연이 살아 있는 마을로 널리 사랑받기를 소망합니다.

무엇보다 마을의 꿈은 미래로 이어져야 합니다. 마을에 새로운 역사의 주역으로 젊은이들이 귀촌하여 기운생동하기를, 아기 울음소리가 힘차게 들리기를, 삶의 문화와 예술이 꽃피는 마을이 되기를…….

그런데 한편으로는 지나친 관광화로 마을 경관과 자연이 훼손되지 않을까 염려스럽습니다. 부디 서로를 배려하는 공동체 의식을 바탕으로 마을을 발전시켜 나갔으면 좋겠습니다. 개발을 하더라도 멋스러운 마을의 특성을 잃지 않도록 지혜를 모아야겠지요. 그리하여 이 마을의 사례가 존중되어 이웃마을에도 도움이 되길 기대합니다.

이 책이 나올 수 있도록 협조해주신 여러 분들과 특히 마을에 애정을 지니고 귀한 시를 보내준 이종성 시인, 추천의 글을 주신 이도원 교수님(서울대학교 환경대학원장)과 이주헌 선생님(미술평론가)께 깊이 감사드립니다. 그리고 아름다운 그림책으로 엮어준 뜨란 가족에게도 고마움을 전합니다.

진정으로 남사예담촌 산하에서 피고 진 뭇 생명들, 선현들의 넋과 정신을 기리며 주민들을 사랑합니다. 그리고 이 그림책을 오늘을 사는 이들은 물론 미래의 새싹들에게도 바칩니다.

2012년 새아침
남사예담촌 오늘화실에서
이호신 삼가 씀

**남사의 봄 하늘** 한지에 수묵채색 69×140cm 2011

# 남사예담촌과 그림책의 인연

이도원(전 서울대학교 환경대학원장 · 생태학자)

남사마을이 내 마음 속으로 들어온 때가 언젠지 확실히 기억나지 않는다. 우리 옛 마을의 모습을 잘 간직하고 있다는 내용의 글을 읽은 다음 가보고 싶은 곳으로 간직한 지가 10년도 훨씬 넘었다. 국도 3번을 이용하여 고향 가는 길에 반드시 지나던 산청에 이르면 가끔씩 생각나긴 했어도 남사마을과의 인연은 쉽게 오지 않았다.

현석 이호신 화백을 만난 지 어느덧 십 년이다. 정확하게는 2002년 2월 22일 그를 처음 만났다. 전국의 사찰을 그린 그를 소개한 일간지에서 봉정사 그림을 본 순간의 기억은 지금도 뚜렷하다. 나는 그의 사찰 그림 안에 담긴 개념을 나름대로 읽었다. 특별한 구도에서 우리의 전통 마을 원형을 짐작하곤 그를 만날 기회가 있기를 바랐다. '한국의 전통생태학'을 공부하기 시작하면서 마침내 그를 만난 어느 날 나는 현석을 통해 겸재 정선의 그림에 담긴 생태 미학 이야기를 처음 들었고, 그의 글을 『한국의 전통생태학』(사이언스북스)에 담았다.

신통하게도 내가 역사 속의 신묘년을 처음 인식한 것은 겸재의 그림 때문이다. 최완수 선생님의 『겸재를 따라 가는 금강산 여행』에서 피금정 그림과 그 사연을 읽고 나서다. '신묘년풍악도첩(辛卯年風嶽圖帖)'에 있는 피금정 그림에서 나는 오늘날 생태학 연구의 산물인 한국형 식생완충대를 처음 만났다. 그런데 겸재 선생님이 풍악도첩을 그린 지 꼭 300년이 지난 또 다른 신묘년에 현석이 남사예담촌 그림책을 준비했으니 참으로 묘한 생각이 든다. '남사예담촌' 그림책에 실린 대부분의 그림은 2011년 신묘년에 그려졌다.

남사마을에 처음 가보게 된 것은 결국 현석과의 인연 덕분이다. 내가 계획한 일정으로 지리산 권역 전통 마을숲을 둘러본 일행이 현석을 따라 남사에 갔던 날은 신묘년 한 해 전 늦가을이었다. 그 후 그는 남사예담촌에 둥지를 틀고 하늘과 땅, 물, 산과 들…… 그 자연의 품 안에서 삶의 뿌리를 내린 살아 있는 것들과 더불어 사람들을 그린 것이다.

과분하게도 화백은 그의 그림책이 세상에 모습을 드러내기 전인 신묘년 마지막 날 아침에 출판 원고와 그림을 보여주었다. 그러한 행운의 혜택을 누리며 묵은해를 보내는 시간은 오래 익힌 삶의 역사를 만나는 것만으로도 흐뭇했다. 그리고 임진년 첫날 독서의 소감을 짧게 적는다. 하지만 그림책엔 많은 내용이 담겨 있어 진면목을 알자면 앞으로 그림과 글을 찬찬히 음미해봐야 하겠다.

남사예담촌에 둥지를 튼 화가가 하루하루 삶을 가꾸며 머리와 가슴으로 낳은 그림과 글이 참으로 넉넉하다. 물론 이곳은 예로부터 명망 있는 마을로 이어내려 왔지만 오늘날에는 전성기의 기운이 많이 누그러진 것이 사실이다. 이에 화백은 붓으로 마을에 새로운 기운을 불어넣고, 동시에 화가 자신의 마음에 자연과 옛 선조들의 지혜를 새기는 상생의 길을 얻었다. 땅과 사람, 700년 역사의 산물은 그렇게 현장과 화백의 상호교감으로 아름답고 새롭게 거듭나고 있다. 특히 이 책은 한 지

역 마을 단위로서 국내 최초로 회화(繪畵)와 마을 이야기를 접목한 출판 시도로서
도 그 의의가 매우 크다.

나는 그의 그림에서 '울'에 대한 삶의 애정을 분명하게 읽는다. '남사마을 전경
(17쪽 그림)'에서 마을은 산울이 있어 오순도순 모여 사는 둥지가 되었다. 또 다른
마을 전경(185쪽 그림)에서도  희한하게 집은 마당의 울로서 서 있다. 울이 싸는
공간은 삶의 터가 되고, 경계를 짓는 울 안에 있는 틈 도 삶의 터가 된다. 마을을 에
워싸는 산울에는 뭇 생물이 살고, 마당을 품은 집에는 사람들이 산다. 마당과 집을
싸는 울인 담도 역시 사람들과 친밀한 생명들의 거처가 된다. 그리하여 화백의 그
림 속 돌담 넝쿨과 그 돌담의 틈새를 넘나드는 구렁이와 벌거지(벌레의 경상도 사
투리)를 직접 볼 수 있는 날이 오기를 기대한다.

무엇보다 '한국에서 가장 아름다운 마을 제1호'로 선정된 남사예담촌이 현석을
만난 것은 행운이요, 서로가 축하할 일이다. 그 만남이 일으킨 교감은 분명 새로운
기운을 일으킬 원동력이 될 터이다. 그 만남을 지켜보는 인연을 얻은 나도 은혜를
입었다.

2012년 첫날 새아침
이도원 씀

# 차례

남사예담촌 이야기
... 하나

# 마을의
# 지리환경과 유래

남사예담촌에 다시 봄이 왔습니다. 정겨운 돌담 위로 매화향기가 번지고 고즈넉한 골목과 기왓골이 햇살에 세월을 토해냅니다. 높푸른 창공에 제비가 나래짓하니 마치 아득한 옛 소식을 전하려 돌아온 것 같습니다.

지리산 자락인 웅석봉(熊石峰 1,099m)에서 흘러내린 산맥은 석대산(石垈山 534.5m)을 거쳐 소괴산(消怪山 238.9m)으로, 나아가 이구산(尼丘山 180m)에 이릅니다. 이구산은 웅석봉의 좌청룡 줄기로서 마침내 이곳에 모든 정기가 모이게 되고 그 기운으로 많은 인물이 나온다고 하지요.

이구산의 지명은 유교의 종장인 공자가 태어난 중국 곡부(曲阜)의 뒷산 이름을 따왔고, 마을을 휘돌아가는 사수(泗水) 역시 공자의 고향으로 흐르는 산동성 사수현(泗水縣)에서 비롯되었다고 합니다.

오늘날의 이름인 남사천을 중심으로 마을은 남사(南沙)와 상사(上沙)로 나뉘는데, 조선시대에는 여사촌(餘沙村)으로 불렸습니다. 두 지명은 이미 고려말에 등장하며, 공자를 흠모하고 학문을 연찬하려는 뜻이 담겨 있지요.

마을을 가로지르는 남사천은 웅석봉 아래서 발원하는 금계천과 만나 남사교 아래 쌍대석을 돌아서 경호강으로 합류됩니다. 이 마을의 지형을 이구산에 올라 살

**남사의 봄**
한지에 수묵채색
138×69.5cm 2011

퍼보면 멀리 망해봉, 집현산, 광제산, 신선대가 한눈에 들어옵니다. 굽이치며 에돌
아가는 물길 양쪽으로 넉넉한 들판이 펼쳐집니다.

이는 정지용의 시「향수」구절 중에서 "넓은 벌 동쪽 끝으로 옛이야기 지줄대는
실개천이 휘돌아 나가고…… 그곳이 차마 꿈엔들 잊힐리야"가 연상되는 경관입니
다. 마을의 고도는 평균 60m 정도이며 살고개를 넘어온 지리산 길목으로 국도 20
호선이 지나갑니다.

현재의 '남사예담촌'이라는 이름은 2003년 '농촌전통 테마마을'로 지정된 후 마
을을 새롭게 단장하면서 만들었는데, '옛담 넘어 선비의 전통을 잇고 그 기상과 예
절을 배워간다'는 뜻이 담겨 있습니다. 즉 마을의 오랜 역사와 예스러운 환경을 새
롭게 조명하고 소중한 문화유산을 잘 지켜 나가자는 것이지요.

문헌에 따르면 마을의 역사는 700년을 웃돕니다. 게다가 아름다운 경관과 천혜
의 자연환경을 지닌 곳이기도 하지요.

봄이면 꽃구름 같은 매향이 담장 너머로 번지고, 가을엔 별처럼 창공에 알알이
등불을 켜는 감나무 마을…… 우리 모두의 고향 같은 곳이 남사예담촌입니다.

남사예담촌 이야기
… 둘

역사 속의
인물과 가계

마을은 사람들이 하나 둘씩 모여들어 입향조(入鄕祖)와 여러 성씨(姓氏)들이 가계(家系)를 형성하면서 만들어졌습니다.

이미 밝혔듯이 기록상 700년이 넘는 이 마을의 역사적 인물로는 고려말의 원정공(元正公) 하즙(河楫 1303~1380) 선생을 들 수 있는데, 그분의 생애와 업적이 마을 입구 비문에 새겨져 전해오고 있습니다. 또한 상세한 마을 내력은 마을 주차장에 세운 '남사마을 연혁비'(부록 226쪽)에서 살펴볼 수 있지요.

남사예담촌은 각성(各性)바지 마을입니다. 진양하씨(晉陽河氏), 성주이씨(星州李氏), 밀양박씨(密陽朴氏), 밀양손씨(密陽孫氏), 연일정씨(延日鄭氏), 진양강씨(晉陽姜氏), 전주최씨(全州崔氏), 현풍곽씨(玄風郭氏) 등이 인연을 맺고 살아왔습니다.

고려말과 조선초기의 인물로 앞서 밝힌 하즙과 하윤원(河允源 1322~1376) 부자, 그의 외손 통정공(通亭公) 강회백(姜淮伯 1357~1402), 통계공(通溪公) 강회중(姜淮仲 ?~1441), 그리고 영의정을 지낸 하즙의 증손 문효공(文孝公) 하연(河演 1376~1453) 등이 이 마을에서 태어났습니다(부록 243쪽).

하연이 심은 육백년 감나무 스케치 화첩에 먹 33×20cm 2011

원정공 하즙 선생 비와 물레방아 한지에 수묵채색 58×95cm 2011

山靖
南沙里 无亡梅
戊子春 玄石

남사리 원정매(南沙里 元正梅) 한지에 수묵채색 166×262cm 2008

남사예담촌에서 태어난 강회백이 심은 산청 단속사지 정당월매(山淸 斷俗寺址 政堂月梅)

한지에 수묵채색 163×265cm 1998

그들의 흔적을 살펴볼까요. 하즙이 심은 매화 원정매(元正梅), 인근의 단속사(斷俗寺) 터에 심은 강회백의 정당매(政堂梅), 그리고 하연이 심은 감나무가 지금까지 살아오고 있습니다. 귀중한 자연유산으로 모두의 사랑을 받고 있지요.

조선초기의 경무공(景武公) 이제(李濟 1365~1398)는 개국공신인데, 태조 이성계로부터 하사받은 '이제개국공신교서(李濟開國功臣敎書)'가 국보 제324호로 지정(2018. 6. 27)되었습니다.

또한 이 마을에 밀양박씨 세파를 이룬 송월당(松月堂) 박호원(朴好元 1527~1584)의 이사재(尼泗齋)와 망추정(望楸亭), 그리고 그의 어머니 산소인 정경부인 장수황씨묘(貞敬夫人 長水黃氏墓)가 있습니다. 모두 역사적 인물의 유산이지요.

구한말 애국지사이자 뛰어난 학자로 명망이 높은 면우(俛宇) 곽종석(郭鐘錫 1846~1919)의 생애를 기리는 이동서당(尼東書堂)도 있습니다. 그 옆에는 2013년에 '유림독립운동기념관'이 건립되었습니다.

근대의 인물인 기산(岐山) 박헌봉(朴憲鳳 1906~1977)은 국악운동의 선구자입니다. 최초로 국악예술학교를 설립하여 국악교육에 큰 틀을 세웠고 국내 최초로 국악관현악단을 창단해 국악의 대중화에 기여한 분이지요. 그 제자들이 오늘의 국악계를 이끌고 있으며 산청에서는 매년 '기산국악제전'을 열고 있습니다. 또한 그분의 뜻을 기려 생가 터에 기산재(岐山齋)를 마련했습니다. 그리고 2013년에 기산 선생과 그의 국악사랑을 기리고 배울 수 있는 '기산국악당'이 설립되었습니다. 이 외에도 수없이 열거할 수 있는 마을의 인물과 업적에 대해서는 실존하는 문화유산을 순례하면서 차근차근 살펴보겠습니다.

남사예담촌 이야기
...셋

# 마을의
# 문화유산과 자연유산

# 이제개국공신교서와 부조묘, 영모재, 사효재

## 이제개국공신교서

'이제개국공신교서'는 1392년(태조 1년)에 태조 이성계가 조선개국일등공신 이제(李濟)에게 내린 공신교서입니다. 이제는 태조 이성계와 신덕왕후 사이에 난 경순궁주(敬順宮主)와 결혼한 뒤 이성계를 추대하여 조선을 개국하는 데 큰 역할을 해서 배극렴, 조준 등과 함께 개국 1등에 기록된 인물입니다.

교서는 국왕이 직접 신하에게 내리는 왕명문서로서, 공신도감(功臣都監)이 국왕의 명에 의해 발급한 녹권(錄券)에 비해 위상이 높습니다. 조선 초기 개국공신녹권으로는 국보 제232호 '이화개국공신녹권(李和開國功臣錄券)' 등 8점이 전하고 있으나, 개국공신교서로 알려진 사례는 '이제개국공신교서'가 유일합니다.

이 교서에는 이제가 다른 신하들과 대의(大意)를 세워 조선 창업이라는 큰 공을 세우게 된 과정과 공(公)의 가문을 극찬하고 공의 어진 성품과 풍채, 당당한 의논,

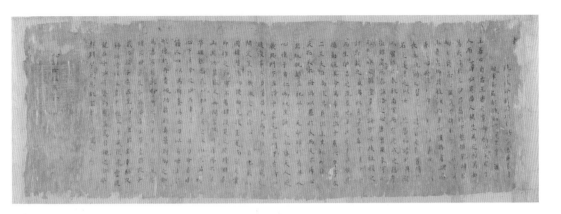

이제개국공신교서(국보 제324호)

충성의 기상으로 개국에 기여한 공적을 크게 치하하며 가문과 친인척들에게 내리는 벼슬과 국록 및 하사품 등을 명시하고 있습니다.

이 교서의 끝 부분에는 발급일자와 '고려국왕지인(高麗國王之印)' 이라는 어보(御寶)가 찍혀 있습니다. 이 어보는 1370년(공민왕 19년) 명나라에서 내려준 고려 왕의 어보로서 조선 개국 초까지 고려 인장을 계속 사용한 사실을 알 수 있습니다.

이처럼 '이제개국공신교서'는 조선 최초로 발급된 공신교서이자 현재 실물이 공개되어 전하는 유일한 공신교서라는 점에서 조선시대 제도사, 법제사 연구의 중요한 자료입니다. 또한, 서예사적 측면에서도 고려 말에서 조선 초 서예사의 흐름을 반영하고 있어 역사적, 학술적, 문화적 가치가 매우 높다고 합니다.

이 교서는 경무공 이제의 종가에서 대대로 보관해 오다 2013년 종손 종한(宗漢)이 분실, 도난, 훼손 염려와 학술 연구 자료로 활용함이 가하다는 판단으로 국립진주박물관에 기탁(寄託)하였습니다. 그 후 국가는 이 교서의 중요성을 인정하여 2018년 6월 27일 국보 제324호로 지정하게 되었습니다. (부록 235쪽)

순조대왕 제문 현판 사진


## 부조묘

불천위(不遷位) 부조묘(不祧廟)란 나라에 큰 공훈이 있는 사람을 영구히 제사 지내게 하는 사당을 말하는데, 이 부조묘는 이제(李濟)와 부인 경순공주(敬順公主)의 제사를 모시는 사당입니다. 세종 3년(1421년), 상왕(태종)이 이제에게 경무(景武)라는 시호(諡號)와 함께 태조묘정에 배향하고, 부조묘를 세워서 제사 지내라는 명을 함에 따라 용인군 대하촌 부마궁에 건립하였습니다. 그 후 종손 종한(宗漢)이 경남 산청군 단성면 남사리로 옮김에 따라 오늘에 이르고 있습니다.

이곳에는 순조대왕께서 1812년 광주목사 홍양묵(洪養黙)을 보내어 경무공 이제의 부조묘에 제사 지내게 하였을 때 내린 제문(祭文)을 판에 새겨 간직하고 있습니다.

영모재

경무공 이제(李濟) 선조를 오래도록 사모한다는 뜻으로 전국 각지의 후손들이 뜻을 모아 이 영모재(永慕齋, 정면 5칸, 측면 3칸의 팔작지붕)를 1987년에 지어, 종원 간 회합 및 친목을 도모하는 장소로 활용하고 있습니다.

기문은 권태근(權泰根)이 지었고, 현판과 기문 글씨는 후손 서예가 은수(殷守)가 썼습니다.

사효재

영모재의 옆 건물이 '부모의 은혜를 생각하는 집'이란 뜻을 지닌 사효재(思孝齋)입니다. 경무공 이제(李濟)의 8대손 효자 윤현(胤玄, 1670~1694)을 추모하는 재실이지요. 여기에는 아름답고 애절한 사연이 서려 있습니다. 부모를 위해 몸을 던진 효자의 행적이 전해 오고 있지요.

때는 정묘년(1687), 천연두가 만연하자 이윤현은 부친을 모시고 산촌으로 피해 갔는데 어느 날 산적이 나타나 부친에게 칼을 들이대었지요. 그때 그는 부친을 보

사효재 현판 사진

호하려고 막아서다가 온몸에 칼을 맞고 팔이 절단되는 등 사경을 헤매게 되었고, 그 상처로 8년 뒤 25세(1694)에 결국 세상을 떠납니다.

이에 나라에서는 왕명으로 그의 효성을 기려 정려(旌閭)를 건립하고 실행록을 종가에 소장토록 했습니다. 이 사효재는 1817년에 건립했고 후손 병화(炳和)와 김유헌(金裕憲)이 쓴 기문이 있습니다. 앞마당에 있는 향나무는 사효재를 짓기 오래 전부터 있었으며, 후손들은 이 향나무를 사용하여 분향하고 있다고 합니다.

이 효자비각(孝子碑閣)은 별도로 마을 입구 당산 아래 지어졌고 '효자통덕랑이윤현지려(孝子通德郎李胤玄之閭)'로 이름 지었습니다. 만구(晚求) 이종기(李種杞)가 기문을 짓고 비문은 성재(性齋) 허전(許傳)이 찬(撰)하고 하용제(河龍濟)가 글을 썼으며 8대손 병곤(炳坤)이 비를 세웠습니다.

사효재는 여전히 한옥의 품위를 유지하고 있지요. 여름날 마루에 올라 뜰을 밝히는 다홍빛 배롱나무꽃(목백일홍)을 완상하는 일이며, 늦가을 문밖의 거대한 은행나무가 노란 잎을 날리는 정취가 참 아름답습니다. 또한 오색 낙엽 덩굴의 담장 너머로 고개를 내민 회화나무는 길 건너 남사천을 향해 뻗어가고 있습니다.

**사효재의 여름** 한지에 수묵채색 58×96cm 2011

**사효재(思孝齋)와 영모재(永慕齋)** 한지에 수묵채색 70×138cm 2011

思孝齋外 永慕齋
辛卯秋 玄石

# 남사예담촌 돌담

'돌담에 속삭이는 햇발같이······'

정겨운 시가 떠오르는 마을의 돌담은 남사예담촌의 자랑입니다.

담장이란 원래 집의 경계를 따라 쌓아올려 사생활의 노출을 막기 위한 것이지요. 그러나 그 형태와 미감에 따라 마을의 경관을 더하고 문화유산으로 존속되기도 합니다. 이 마을의 아름다움 중에서 빼놓을 수 없는 것이 바로 옛 담장입니다. 소담하고 자연스러운 멋이 고스란히 살아 있어 많은 이들에게 사랑받고 있지요.

'산청남사(山淸南沙)마을 옛 담장'(국가등록문화재 제281호)은 토담과 돌담이 잘 어울려 마을 경관을 한껏 멋내고 있습니다.

재산이 넉넉했던 양반집의 담장은 높고 깁니다. 말을 타고 가도 보이지 않을 정도로 담장이 높은데 양반가의 사생활을 보호하기 위함이었다고 하지요. 남사마을 옛 담장은 총 길이가 3,200m(2006. 12. 4 측정)로 옛부터 여러 차례 보수를 거쳐 지금에 이른 것입니다.

**예담촌 담장과
감나무**
한지에 수묵채색
94×59.5cm 2011

**담장과 봉선화**
한지에 수묵채색
93×58cm 2011

담장을 보면, 반가에서는 주로 토담을 쌓아 기와를 얹었고 일반 민가(民家)에서는 돌담을 쌓았습니다.

토담은 먼저 50~60㎝ 정도의 큰 막돌로 2~3층 메쌓기를 한 후 그 위에 황토를 올려 폅니다. 그런 다음 막돌을 일정한 간격으로 벌려놓고 돌 사이에 황토를 채워 쌓습니다. 그러고는 담 위에 기와를 올려 빗물을 처리함으로써 담이 무너지지 않도록 하지요.

돌담은 또 어떤가요. 돌쌓기의 내용과 과정을 떠나 돌담 자체가 미감적으로 정겹고 푸근하며 살갑습니다. 한국인의 정서가 발현된 산물이기 때문이겠지요.

이 마을의 오래된 토담과 돌담은 주로 남사천에서 얻을 수 있는 강돌을 사용한 것입니다. 경남 서부지방 반촌의 전통 공간구조 및 담장 형식을 잘 나타내 줍니다.

한편 돌담과 어우러진 담쟁이덩굴과 사계절 여러 수목들의 조화는 예담촌을 더욱 빛냅니다. 사양정사(泗陽精舍)와 최씨고가 골목, 마을회관에서 영모재로 이어지는 뒷길은 누구나 걸어보고 싶은 골목길이요, 담장길입니다. 특히 옛사람들이 무심하게 쌓은 돌들의 조화와 다양한 빛깔들, 그리고 황토의 푸근한 느낌은 볼수록 자연스럽고 친근하게 여겨집니다.

최근 마을의 정비사업으로 돌담은 더욱 늘어나고 있습니다. 귀향의 발길이 이어지며 한옥은 새롭게 건립되고, 이에 걸맞는 돌담 공사가 지속적으로 이루어지고 있습니다.

## 이씨고가

남사예담촌에서 가장 오래된 집은 이씨고가(李氏古家)입니다. 경무공 이제, 성주이씨 후손들이 대대로 살아온 집이지요. 1700년대 건축으로 경남문화재 자료 제118호(1985. 1)로 지정받았습니다.

남사마을은 물론 산청군의 이미지 사진으로 자주 쓰이는 것이 이씨고가 골목과 어우러져 X자 형태로 마주보고 있는 회화나무 두 그루입니다. 회화나무는 보통 곧게 자라는 편인데 수령 300년생의 이 두 그루는 특이하게도 굽은 채 서로 껴안는 듯해서 금실 좋은 부부나무로 불리며 사랑받고 있지요.

전해 오기로는 이구산(尼丘山)은 암용, 당산(堂山)은 숫용의 지형이라고 합니다. 사수를 두고 마주보며 어울려 마을을 감싸고 있는 산의 형상이 사랑의 전설로 바뀐지라 더욱 흥미를 자아냅니다. 그래서일까요. 마을을 찾는 사람들은 모두들 이곳에서 기념사진을 찍고서 이씨고가의 대문을 밀게 되지요.

**남사예담촌 이씨고가** 한지에 수묵채색 59×93cm 2011

이씨고가
남사예담촌

겨울
희화나무

맑은돌

**겨울 회화나무** 한지에 수묵채색 69×139cm 2011

남사예담촌 이씨라가 사랑채에서

**이씨고가 사랑채에서 스케치** 화첩에 먹 20×33cm 2011

예전부터 회화나무는 학자수(學者樹)라 하여 궁궐, 서원, 사찰, 선비 집안에서 널리 심어온 것으로 머리를 맑게 하고 길상(吉祥)의 뜻을 지녀 선호하였습니다.

이씨고가 마당에 들어서면 사랑채와 외양간 사이 뜰에 또 한 그루 거대한 회화나무가 반깁니다. 마을에서 가장 키가 크며 수령 450년으로 삼신할머니 나무로도 불립니다. 마치 배꼽처럼 속이 푹 파인 이 나무의 몸통과 뿌리 위로 돋아난 돌기는 음양의 상징처럼 보입니다. 그래서 삼신할머니 배꼽에 사람들은 손을 넣고 빌지요. "용의 정기를 가진 아들이나 꽃의 정령을 지닌 딸을 원하고 간절히 비나이다 비나이다⋯⋯."

그런데 이곳의 대문은 북쪽 편을 향해 조금 낮습니다. 선비가 문을 드나들 때마다 임금이 계신 방향으로 머리를 숙여서 충성심을 되새기고자 한 것이지요. 한편 집 안에 사당을 둔 것은 조상을 섬기는 효(孝) 사상을 따르기 위해서입니다.

**이씨고가 사랑채 스케치** 화첩에 먹 20×33cm 2011

　이번에는 사랑채로 가볼까요. 사랑채는 남자의 주거 공간으로 하늘을 상징하는데 이곳의 둥근 기둥은 임금이 하사한 집이라 쓸 수 있었다고 합니다. 둥근 기둥은 조선중기까지 주로 궁궐, 관청, 사찰, 서당(향교)에서만 쓰였지요. 지금의 사랑채는 250년 전 화재로 새로 중건한 것입니다.

　사랑채(정면 4칸, 측면 2칸 반의 팔작지붕)는 동남향으로 자리를 잡고 있습니다. 사랑채 계자난간(鷄子欄干; 닭다리 모양의 난간 기둥) 가에서 다담(茶談)을 나누며 장대한 회화나무의 기상과 철마다 피어나는 봄꽃들을 바라보는 낭만이 그만입니다. 그리고 각 부재(部材)로 사용된 나무 무늬와 공간 비례는 옛 장인들의 미감과 뛰어난 조형미를 느끼게 하지요. 한여름 대청마루에 누워 오수를 즐기는 기분은 어떨까요? 툭 터진 뒷문으로 산들바람이 솔솔 불어듭니다.

이씨고가의 봄 갓은돈

**이씨고가의 봄**
한지에 수묵채색
91×58cm 2011

중문간채(측면 한 칸 크기)를 지나면 정면에 안채(정면 7칸, 측면 2칸 반의 팔작지붕), 좌측에 익랑채(정면 4칸, 측면 1칸의 초가지붕)가 보이는 ㅁ자 한옥입니다.

안채는 여자의 주거공간으로 땅을 상징하며 사각기둥을 썼지요. 사랑채에서 건너올 서방님을 기다리던 마님의 숨결이 떠도는 공간입니다. 곡간채 뒤의 사당(맞배지붕)에는 붉은 옷칠을 한 4개의 위패(아버지, 할아버지, 증조부, 고조부)를 좌측에서 우측으로 나란히 모셨습니다.

같은 ㅁ자 형태의 집이라도 중부지방과는 달리 이곳 남부지역은 덥고 습한 공기의 흐름을 원활히 하기 위해 각 건물 사이에 공간을 두어 각기 독채로 지은 것이 특징입니다.

이씨고가에서는 12대째 진사가 나왔고 천석 농사를 지었으며 마을의 동약계를 이끌어왔다고 합니다. 지금도 마당 한쪽에는 오랜 집안의 내력과 함께해온 우물이 있고 사랑채 앞에는 높은 굴뚝이 남아 있습니다. 옛날에는 이곳에 연못이 있어서 굴뚝 연기가 연못에 번지는 모습을 보며 풍류를 즐겼다고 합니다.

한편 이씨고가의 멋을 더해주는 자연생태와 식물로는 회화나무 외에도 많은 것들이 있습니다. 사랑채 뜰의 소나무와 향나무 두 그루, 사당 앞의 편백나무, 그 담장 뒤로는 단풍나무와 감나무가 즐비합니다. 담장 아래로 늘어져 살랑이는 능소화가 웃음 짓고, 한여름에 회화나무꽃이 꽃비가 되어 마당에 쌓여 반짝이는 광경은 황홀하지요.

현재 이씨고가는 한옥 체험 마당으로 뒤뜰을 활용하고 있고, 가옥을 잘 정비하여 민박을 유치함으로써 많은 국내 숙박객은 물론 외국인들도 즐겨 찾아옵니다. 옛 전통의 멋과 여유가 지금도 여전히 살아 숨쉬는 한옥이기 때문이지요.

# 최씨고가

갓 쓰고 조랑말을 탄 선비가 담장을 끼고 들어와 길모퉁이 회화나무에 눈길을 주고서는 이내 말에서 내립니다. 그러고는 점잖게 이릅니다.

"어험, 이리 오너라." 유난히 대문이 높은 최씨고가(崔氏古家)에서 심심찮게 벌어졌을 예전의 일상을 그려봅니다.

이 고택은 전통적인 남부지방의 사대부 한옥입니다. 1920년에 지은 것으로 경남문화재 자료 제117호(1985. 1)로 지정되었지요.

최씨고가는 대문 옆의 행랑채(외양간과 마굿간)를 별도로 하고, 사랑채(정면 5칸, 측면 2칸의 팔작지붕), 안채(정면 6칸, 측면 3칸의 팔작지붕), 그리고 좌측의 익랑채(정면 4칸, 측면 2칸의 우진각지붕), 우측의 곳간채(정면 4칸, 측면 2칸의 우진각지붕) 등으로 형성된 □자형 건물입니다. 특이한 것은 사랑채에서 안채로 들어가는 두 개의 중문(서중문, 동중문)인데, 안채에 거주하는 여인들을 배려해서 만든 것이지요.

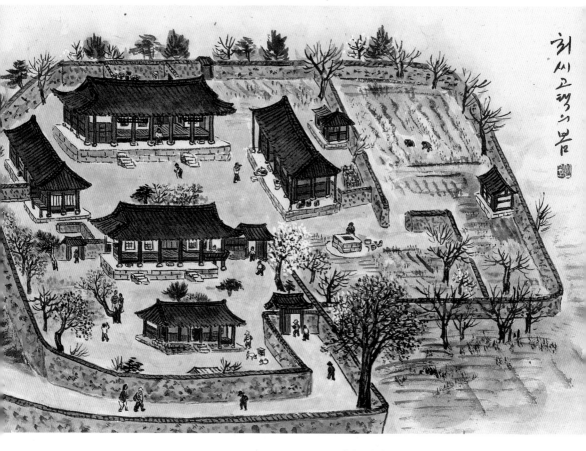

**최씨고택의 봄** 한지에 수묵채색 59×89cm 2011

허씨고택의 봄

**최씨고가 곳간채 스케치** 화첩에 먹 20×33cm 2011

동중문은 특별한 행사가 있거나 땔감, 식량을 들일 때 사용하는 문입니다. 서중문은 문을 열어도 익랑채와 안채가 바로 보이지 않도록 ㄱ자 담장을 둘렀습니다. 방풍역할과 함께 남녀유별의 흔적인데, 공간 활용과 배치가 매우 뛰어납니다.

안채의 우측 끝 방이 새 신부의 방으로 쓰였고 건넌방 2칸은 시어머니, 시할머니들이 거주하였답니다. 그리고 신부(동서)가 또 새로 들어오면 서열에 따라 익랑채로 자리를 옮겼으리라 추측됩니다. 밤이면 중문을 열고 너른 마당을 가로질러 부인을 만나러 가는 사내의 설레던 발길이 달빛에 어룽거렸을 테지요.

안채에는 쇠방울 하나가 매달려 있는데 사랑채와 연락하기 위한 것입니다. 방울이 울릴 때마다 아이들에게는 다과상, 어른에게는 주안상을 준비했을 테지요. 안채에는 요즘의 베란다 역할을 하는 나무 시렁이 여러 개 남아 있습니다.

2011. 5.22
앵두 🔒

**앵두** 화첩에 수묵채색 20×33cm 2011

최부자댁은 한 해에 1천~3천석 농사를 지었다고 합니다. 현재 금액으로 환산하여 약 10~30억이 된다 하니 대단한 부농이지요. 곳간채에는 지금도 달구통, 키, 채소고리, 멍석, 디딜방아, 절구, 멧돌 등이 남아 있어 그때의 넉넉한 살림을 짐작케 합니다.

이곳 우물은 여러 곳의 물길을 모은 침전수인데 주변에는 미나리와 앵두나무를 심었습니다. "앵두나무 우물가에 동네 처녀 바람났네……."라는 노랫말도 실은 앵두나무 뿌리가 정화작용이 뛰어나기에 한몫을 한 것이지요. 이제는 한 그루밖에 남지 않았지만 예전엔 앵두가 우물가에 알알이 붉었다고 합니다.

**최씨고가 월매**
**(崔氏古家 月梅)**
한지에 수묵채색
93.5×59cm 20

폐쇄된 공간에서 여성만을 위한 장소로는 우물 뒤 너른 텃밭이 큰 몫을 했습니다. 밭일도 하고 널도 뛰며 담장 너머 이웃들의 생활을 엿볼 수 있는 곳이자 금남(禁男)의 장소이지요. 어여쁜 아씨와 콧털이 짙은 서방님의 쪽지 편지도 아마 담장 너머로 오갔을 것입니다.

또한 안채 뒤편에 마련된 장독대 주변의 담장에는 작은 문이 나있는데, 이곳으로도 아낙들이 세상 구경을 나갔겠지요. 눈치보며 마당을 가로지르지 않고 담장을 돌아 사내가 아낙을 찾는 비상문이요, 사랑의 길목으로도 쓰였을 겁니다.

최씨고가에서는 가옥뿐 아니라 정원과 꽃나무들을 둘러보는 것도 매우 중요합니다. 먼저 대문 입구의 200년생 회화나무와 사랑채 우측의 홍매가 눈길을 끕니다. 마을 오매(五梅) 중의 하나이지요. 서중문 앞의 백송, 동중문 앞의 목련은 보기 드물게 키가 크고 흰 꽃이 화려하여 봄하늘을 수놓습니다.

수년 전에는 동중문 목련 앞에 또 한 그루의 멋진 홍매가 있었는데 어느 해엔가 사라져 화첩에만 남았습니다.(66쪽 그림) 백송 옆 담장의 자목련, 사랑채 뜰의 향나무, 사철나무, 동백, 우물가의 앵두, 자두, 감나무와 오갈피나무도 보입니다. 안채 뜰엔 봄이면 연산홍과 진달래가 홍채를 발하고, 여름엔 하얀 치자꽃이, 가을엔 노란 국화와 붉은 다알리아가 마당을 수놓지요. 그리고 담장 주변의 감나무는 곳곳에서 가을 하늘 아래 등불을 켭니다.

문화재와 자연 생태를 살펴보고 돌아 나올 때는 대문의 빗장을 만져보세요. 빗장은 나무 자물쇠로 거북이 형상입니다. 무병장수를 상징하는 것으로 이곳을 드나드는 모든 인연들이 건강하고 행복하시라는 뜻을 담고 있지요.

최씨고가는 2014년 월강고택(月岡古宅)으로 이름 짓고 부대시설을 정비하여 명품한옥으로 선정되었습니다(문화체육관광부와 한국관광공사 인증). 최고의 편의

**지금은 사라져 화첩에만 있는 최씨고가의 매화** 화첩에 수묵채색 24×33cm 2005

시설로 한옥의 아름다움과 숙박 조건을 모두 갖춘 근사한 공간입니다. 한옥의 멋과 전통, 그리고 현대인을 위한 편의성을 잘 접목한 곳이지요. 마을답사도 중요하지만 하루쯤 숙박하며 주인과 다담을 나누고 구석구석 한옥의 아름다움을 만끽해보는 것은 어떨까요?

# 이사재와 충무공백의종군비

마을 남사천 너머 상사 산언덕에 자리잡은 이사재(尼泗齋)와 충무공백의종군비(忠武公白衣從軍碑)의 주변 경관은 매우 뛰어납니다. 이곳은 밀양박씨 송월당공파(松月堂公派)를 이룬 송월당(松月堂) 박호원(朴好元 1527~1584)의 재실입니다. 오늘의 밀양박씨는 모두 이 파시조(派始祖)의 후손들이지요.

이사(尼泗)는 이구산(尼丘山)과 사수(泗水)의 첫 글자를 딴 것으로 두음법칙에 따라 '니'를 '이'로 부릅니다. 문화재자료 제328호(2003. 4. 17)로 지정되어 관리해 오고 있습니다.

박호원은 명종에서 선조에 이르기까지 조정에서 활동한 인물로서 조선왕조실록(선조수정신록편)에 36회나 그의 이름이 나옵니다. 명종 후반 도적들이 극성을 부리자 그들을 토벌하는 종사관(從事官)에 임명되어 공을 세웠고 장령(掌令)의 벼슬(1565)과 대사헌, 호조참판(1576), 호조판서를 지냈습니다(부록 247쪽).

이사재 현판 사진

    이사재는 여러 차례 중수를 거쳐 현재 정면 5칸, 측면 2칸의 팔작지붕으로 네 모서리에 활주가 세워져 있으며 바깥에는 원기둥, 안쪽은 네모기둥을 썼지요. 중앙 마루를 비워 출입하고 양쪽으로 계자난간이 있으며, 사방이 마루로 연결되어 있습니다.

    후손 입암 박헌수(立庵 朴憲脩 1873～1959)의 기문 이사재기(尼泗齋記)에 의하면 "이사재는 우리 선조 송월공(松月公)께서 지으시고 그대로 후생(後生)들의 학문을 강학(講學)하는 장소를 삼았다"고 전합니다(부록 252쪽). 이 현존하는 이사재기는 이종덕(李鍾德)이 쓴 것이며, 이사재는 1857년에 처음 건립되었다고 전해옵니다.

    이곳을 거쳐 간 후손들 중에는 뛰어난 인물이 많습니다. 박호원의 8대손인 이계공(尼溪公) 박래오(朴來吾 1713～1785)는 시문학의 특별한 유산인 『이계집(尼溪集)』을 남겼는데, 그중에서도 「유두유록(遊頭流錄)」은 지리산 유람기의 압권으로 꼽힙니다. 또한 그의 아들 월암공(月庵公) 박재기(朴在冀 1750～1822)는 집안의 고문서와 귀중한 호구단자(戶口單子)를 후손에게 남겼습니다.

**이사재(尼泗齋)**
한지에 수묵채색
94×61cm 2011

이 자료는 현재 국립민속박물관에 기탁 소장(2009)되었고, 『남사마을 월암공 고문서』책으로 발간되기도 했습니다.

이렇듯 선조들의 정신문화가 배인 이사재는 건축 조형의 아름다움과 조경에 대한 소개도 빼놓을 수 없습니다. 출입 마루에 층을 두어 연소자들이 앉을 수 있게 배려하였고, 방문(세짝 분합문)의 형식과 창살의 조형미가 매우 수려하지요. 또 신을 벗은 채로 사방마루를 돌아볼 수 있게 한 구조가 특이합니다.

무엇보다 소담한 뜰의 연못과 배롱나무 두 그루, 뒷담 암벽 아래 샘터와 대숲이 담장과 아름답게 조화를 이루고 있지요. 자목련과 함께 정면 뜰에 심은 홍매는 마을의 오매(五梅) 중의 하나로 봄날엔 그 향취가 그윽하며, 연못의 노랑어리연꽃이 수를 놓습니다.

그리고 한여름 목백일홍(배롱나무)이 정념의 불길로 타오르다가 꽃비가 되어 떨어지면 마치 연못에 붉은 꽃들이 피어난 것처럼 이채롭습니다. 샘에서 물을 길어 차를 달이고 계자난간에 앉아 물끄러미 연못을 바라보았을 옛 선비들의 낭만과 풍류가 서린 곳입니다.

한편 이사재에서는 시원하게 펼쳐진 마을의 전망을 볼 수 있지요. 이구산과 당산 사이로 남사천이 흘러가고 마을 고가들이 즐비한 풍광입니다. 단풍나무와 근래에 심은 해당화에 눈길을 주고 계단을 내려오면, 높은 담장이 새삼 아름다워 보이며 특별한 인상을 줍니다.

**니사재 연못의 화엄** 한지에 수묵채색 70×139cm 2014

이사재 홍매(尼泗齋 紅梅) 한지에 수묵채색 60×90cm 2011

尼泗齋 紅梅
辛卯春 亥石

이사재의 역사와 함께 기억되어야 할 또 하나의 사연은 충무공(忠武公) 이순신 (李舜臣 1545~1598) 장군과의 인연입니다.

때는 1597년 6월(선조 30년 ). 이순신 장군이 이곳 박호원의 집에서 묵어간 기록이 난중일기(亂中日記)에 보입니다.

당시 53세의 이순신은 정유재란(丁酉再亂)이 발발하자 원균(元均)의 모함으로 삼도수군통제사에서 파직되고 죄인으로 몰려 옥고(獄苦)를 치르지요. 그러고는 출옥 후 권율 장군의 휘하에서 백의종군(白衣從軍)합니다. 그 사이에 어머니가 돌아가시니, 참담한 심경이야 이루 말할 수 없었지요. 그의 조카 이분(李芬)이 쓴 행록 (行錄)을 보면 "나라에 충성하다가 이미 죄가 여기에 이르렀고 어버이에게 효도를 하고자 하였으나 어버이 또한 돌아가셨구나." 하고 통곡하는 대목이 나옵니다. 비통한 마음을 애써 누르며 이순신은 어머니 영전에 하직인사를 올리고 길을 떠나지요(4월 19일). 그리고 하동을 거쳐 6월 1일 박호원의 집에서 하룻밤 머물고 갑니다. 그날의 상황을 『난중일기』는 이렇게 전하고 있습니다.

六月初一日庚申 雨雨 早發到淸水驛溪邊亭 歇馬 暮投丹城地 晉州地境內 朴好元農奴家 主人欣然接之 而宿房不好 艱難過夜 雨雨終夜

정유년(1597) 6월 1일 경신. 비가 계속 내렸다. 일찍 출발하여 청수역(淸水驛) 시냇가 정자에 도착해 말을 쉬게 하였다. 저물녘에 단성(丹城)과 진주(晉州) 경계에 있는 박호원(朴好元)의 농노(農奴) 집에 투숙하였다. 주인이 반갑게 맞이하기는 하였으나 잠자리가 좋지 못하여 간신히 밤을 지냈다. 비는 밤새도록 멎지 않았다.

**이사재의 연못과
배롱나무꽃**
한지에 수묵채색
91×58cm 2011

이사재의 연못과 배롱나무꽃 외개산검은돌

**이사재 제사 스케치** 화첩에 먹 33×20cm 2011

신변 안전도 염두에 두고 의기가 상통할 만한 선비의 집을 권유받아 선택했을 터이니 주인이 손님을 소홀히 대하지는 않았겠지요. 하지만 이순신이 불편하였다 함은 당시 죄인의 신분으로 "극진한 대접 속에 잘 잤다"고 표현하기는 어려운 처지였다고 헤아려 봅니다.

이런 사연을 후세에 전하고자 이사재 입구에 '충무공 이순신 장군 백의종군 일숙구지비(忠武公 李舜臣 將軍 白衣從軍 一宿舊址碑)'를 세운 것입니다. 최근에는 길손들의 휴식과 충무공의 정신을 떠올리게 이사정(尼泗亭)도 세웠습니다.

이 백의종군로를 오가는 이들마다 한번쯤 충무공의 발자취를 떠올리며 그 뜨거운 애국혼에 경의를 표하는 것도 당연한 일이겠지요.

이사재에서 바라본 남사예담촌의 가을 한지에 수묵채색 70×139cm 2011

**망추정 현판 사진**

# 망추정과 정경부인 장수황씨묘

이구산 너머 소괴산(消怪山)으로 가는 길목에 자리한 망추정(望楸亭)은 밀양박씨 문중재실로 마을에서 제일 높은 곳에 위치합니다. 이 재실 터는 원래 소괴사(消怪寺)라는 절터였습니다. 그 후 송월당 박호원이 이구산에 모신 어머니 황씨(黃氏)를 위해 분암(墳庵; 무덤을 지키는 묘지기가 사는 집)을 지은 것이 망추정(1781)입니다. 이곳에서 발굴된 '단성석조여래좌상(丹城石造如來坐像)'은 보물 제371호로 지정되어 현재 진주 금선암에 소장되어 있지요.

이곳의 전망이 뛰어나기로는 마을에서 1경을 양보할 수 없습니다. '추나무(가래나무)를 바라보는 정자'라는 뜻을 가진 망추정은 추나무 너머로 겹겹이 펼쳐진 산자락과 아울러 일출(日出)을 맞이할 수 있는 명소입니다. 여러 번 중수를 거쳐 오늘에 이른 망추정(정면 6칸, 측면 2칸의 팔작지붕)은 주변 경관도 수려합니다.

망추정 일출
(望楸亭 日出)

닥지에 수묵채색

ㅏ×91cm 2011

**망추정(望楸亭)** 한지에 수묵채색 60×92cm 2011

산 아래 좌우로 장대한 소나무가 정자를 품어주고 있고, 마당 한쪽에 '박씨선정 (朴氏先亭)'의 각자(刻字)가 새겨진 큰 바위와 샘터가 있지요. 또 담장 밖에 연못을 파두었고, 담장 모퉁이에는 배롱나무가 심어져 있습니다.

구한말 마을 출신인 대학자 면우(俛宇) 곽종석(郭鐘錫 1846~1919)이 이곳의 쓰임과 각각의 명칭을 기록한 '망추정팔명(望楸亭八銘)'을 보면 다음과 같습니다.

1. 성유재(誠有齋)    2. 형작실(洞酌室)
3. 시균당(視均堂)    4. 지숙료(止宿寮)
5. 경의문(景義門)    6. 온옥대(韞玉臺)
7. 수옥천(漱玉泉)    8. 앙교대(仰喬臺)

일찍이 박호원이 모친의 3년상을 치르기 위해 잡은 이 터는 향사(享祀)만이 아니라 후손과 유생들에게 안식과 수학(修學)의 장소이자 아름다운 유산이 되었지요. 이곳에 남아 있는 기문은 후산(后山) 허유(許愈)가 쓴 것입니다.

이제 다음으로 찾아야 할 곳은 이구산 중턱에 자리잡은 박호원의 어머니 산소 정경부인(貞敬夫人) 장수황씨묘(長水黃氏墓)입니다. 두 산소 중 위에 있는 산소이지요. 이 장수황씨묘는 특히 문인석(文人石)이 우수하여 경상남도 문화재자료 제403호로 지정(2006)되었습니다.

묘비, 상석, 향로석, 망주 등은 당시 묘소의 전형을 보여주는 귀한 유산입니다. 묘갈명(墓碣銘)은 홍문제학(弘文提學)을 지낸 종손(從孫) 계현(啓賢)이 찬(撰)하였습니다.

貞敬夫人 황씨묘
(貞敬夫人 黃氏墓)
한지에 수묵채색
×59.5cm 2011

그 아래 산소는 전의이씨(全義李氏) 산소인데 장수황씨의 친정 어머니 묘소입니다. 박호원의 외할머니이지요. 비석은 '정경부인이씨지묘(貞敬夫人李氏之墓)'로 되어 있고 응천(凝川) 박규호(朴圭浩)가 비문을 썼습니다.

전해오는 이야기에 따르면, 먼저 타계한 황씨의 무덤을 돌보던 어머니 이씨가 유언하기를 딸보다 작은 봉분을 쓰고 아래쪽에 묻어 달라고 했답니다. 모녀 간의 아름답고 애틋한 정이 깃들어 있는 산소 위로 두 마리의 새가 날아갑니다. 마치 두 분의 영혼인양 정답게 날아갑니다.

## 사양정사와 선명당

　어느 곳보다 돌담장과 감나무가 잘 어우러진 골목을 돌아 '사양정사(泗陽精舍)' 대문에 이르면 먼저 그 규모에 놀랍니다. 아니나 다를까, 본채도 마을에서 제일 크며 현판도 장중하지요.

　사양정사는 연일정씨(延日鄭氏) 고택으로 사수(泗水)의 남쪽에 있다는 뜻으로 학문을 배우고 가르치는 곳이었습니다(2009년 1월, 경남문화재자료 제453호).

　이 건물은 유학자 계재(溪齋) 정제용(鄭濟鎔 1765~1907)을 기리기 위해 그의 아들 위당(韋堂) 정덕영(鄭德永)을 거쳐 손자 정종화(鄭鍾和)에 이르러 건립(1920년)되었습니다.

　연일정씨는 영일정씨(迎日鄭氏)로 부르기도 하며, 정제용은 선대인 고려 충신 정몽주의 후손입니다. 생전에 삼장면 석남촌에 '존도재(尊道齋)'라는 집을 짓고 학문에 정진했는데 이곳으로 옮겨온 후 확장한 건물이 사양정사입니다(부록 239쪽).

존도재 현판 사진

'존도(尊道)'는 『중용』의 '존덕성이도문학(尊德性而道問學)'이란 구절에서 따온 것으로 '군자는 덕성을 높이고 학문을 말미암는다'는 뜻입니다.

정제용의 호(號)는 퇴계(退溪) 이황(李滉)과 회재(晦齋) 이언적(李彦迪)의 끝 자를 따서 계재(溪齋)라고 지은 것이지요. 후산(后山) 허유(許愈)에게 학문을 익히다가 스승이 타계한 뒤에는 이 마을의 면우(俛宇) 곽종석(郭鍾錫)에게 배웠는데 남명 선생의 유적지인 산천재, 세심정 등을 중수하는 데 크게 기여하였습니다. 한편 그의 아들 정덕영은 스승 곽종석을 추모하는 이동서당(尼東書堂) 창건에 깊이 관여하였다고 합니다.

이들의 숨결이 배어 있는 본채(정면 7칸, 측면 2칸에 툇간을 갖춘 홑처마 팔작지붕)와 솟을대문채(정면 6칸, 측면 1칸)로 된 건물은 방이 유난히 많고 대청과 마루가 넓으며 양끝 기둥 칸마다 계자난간을 둘러 주변을 살펴보게 했습니다. 특히 솟을대문에 4칸의 광을 넣어 6칸의 장대한 규모로 구성한 대문채는 당시의 경제력과 품격, 용도를 실감나게 합니다.

泗陽精舍

**사양정사(泗陽精舍)** 한지에 수묵채색 59×93cm 2011

泗陽精舍

辛卯夏 玄石

사양정사 현판 사진

　집안의 현판으로는 드물게 큰 '사양정사(泗陽精舍)' 현판은 구한말의 서예가 성당(惺堂) 김돈희(金敦熙 1871~1937)의 글씨입니다. 성당의 대표 작품으로 알려져 있지요.

　또 '존도재(尊道齋)'와 기둥의 주련 글씨는 긍전(肯筌) 손재복(孫在福)의 글씨이고 기문은 회봉(晦峯) 하겸진(河謙鎭)이 썼습니다.

<br>

| | |
|---|---|
| 松林隙地築茅堂 | 송림극지축모당 |
| 水性山心轉渺茫 | 수성산심전묘망 |
| 南國看梅詩欲瘦 | 남국간매시욕수 |
| 東風吹雨日微凉 | 동풍취우일미량 |
| 人情同夜難爲月 | 인정동야난위월 |
| 世事如炎易變霜 | 세사여염이변상 |
| 閒來自有超然處 | 한래자유초연처 |
| 莫把無聊也自傷 | 막파무료야자상 |

소나무 숲속 빈 터에다 초당을 짓고 나니,
물 같은 본성 산 같은 마음 점점 넓어지네.

**사양정사 대문** 화첩에 수묵담채 16×25cm 2005

남쪽 지방의 매화 구경에 시심은 시들해지고,
봄바람은 비를 뿌려 날씨가 조금 서늘해졌네.
인정은 한밤중처럼 어두워 달과 같이 밝기 어렵고,
세상사 불꽃같이 타올라 서릿발처럼 변하기 쉽네.
한가할 때 찾아오면 절로 초연한 곳이 예 있으니,
무료하다고 또한 스스로 상심하는 일 하지 말라.
_사양정사 주련, 최석기 역

**사양정사** 화첩에 수묵담채 16×25cm 2005

　사양정사는 한옥의 멋을 느낄 수 있는 명소로서 방송 촬영 장소로도 매우 인기가 높습니다. 이곳 본채의 좌측에는 향나무가, 우측에는 배롱나무가 있습니다.

　120살 된 이 배롱나무는 마을의 배롱나무 중 가장 오랜 수령을 자랑하며, 늦봄부터 초가을까지 마당을 환히 밝혀주지요.

　그 옆으로 난 담장의 작은 문을 나서면 수령 220년의 거대한 단풍나무가 반깁니다. 겨울 채비를 걱정하는 종가집 며느리가 붉게 물든 단풍을 보면서 잠시 시름을 잊으라고 이 나무를 심었다고 합니다. 단풍나무 아래에는 누구든 쉬어 갈 수 있게 너럭바위와 나무평상이 있습니다.

　늦가을에 단풍나무 품으로 들어와 하늘을 한번 올려다보세요. 세상이 온통 붉게 물들어 심신에 배어듭니다. 신비롭고 장엄한 세계가 펼쳐집니다.

정씨리가 사양정사의 배롱나무 김은돈

**양정사의 배롱나무**
한지에 수묵채색
95×58cm 2011

**정씨고택 단풍나무** 한지에 수묵채색 58.5×93cm 2011

정씨고택 단풍나무

정씨고가 선명당 매화(鄭氏古家 善鳴堂 梅花) 한지에 수묵채색 59×93cm 2011

선명당 현판 사진

그리고 돌아서 보면 마당 건너에 정씨고택 '선명당(善鳴堂)'이 눈에 들어옵니다. 현판은 진주의 서예가 은초(隱樵) 정명수(鄭命壽 1909~2001)가 썼으니 집주인과는 특별히 유대가 깊은 사이였겠지요.

현재의 집주인은 봄날이면 측면의 작은방에서 돌담가에 핀 홍매를 완상하는 것이 최고의 기쁨이라고 말합니다. 이 홍매는 사방에서 보는 구도가 모두 달라 아주 새롭게 감상할 수 있습니다. 가지와 빈 공간의 연출이 각별하게 느껴지지요. 또한 황토 담장과 어우러진 매향이 모든 시름을 잊게 하나봅니다. 물론 이 매화도 마을의 오매(五梅) 가운데 하나입니다.

# 하씨고가와 원정매 · 감나무

　산청에는 이름난 삼매(三梅)가 있습니다. 마을 인근 단속사 터의 정당매(政堂梅), 산천재의 남명매(南冥梅), 그리고 하씨고가(河氏古家)의 원정매(元正梅)입니다. 물론 원정매는 마을 오매(五梅) 중의 대표이지요.

　정당매는 이 마을 출신인 원정공 하즙의 외손 강회백이, 남명매는 남명(南冥) 조식(曺植 1501~1572)이, 원정매는 하즙이 심은 것이라고 합니다. 수령 670년생인 원정매는 봄이면 하씨고가에서 여전히 홍채를 뿌리고 있는데, 매화 앞에 새긴 하즙의 영매시(詠梅詩)가 표석으로 전해옵니다.

　　　舍北曾栽獨樹梅 사북증재독수매
　　　臘天芳艶爲吾開 납천방영위오개
　　　明窓讀易焚香坐 명창독역분향좌
　　　未有塵埃一點來 미유진애일점래

집 뒤뜰에 일찍이 매화 한 그루 심었더니

한겨울에도 꽃망울이 나를 위해 틔웠구나

밝은 창가에서 주역 읽으며 향 피우고 앉았으니

한 점 티끌도 전해오는 것이 없어라


700년 전의 인물로 마을 입향조인 하즙의 가계(家系)는 이미 밝혔듯이 남사예담촌의 역사와 함께합니다(부록 243쪽).

하즙은 벼슬이 찬성사(贊成事)에 이르렀고 증손 하연(河演 1376~1453)은 세종조에 영의정을 지냈습니다. 특히 둘째사위 강시(姜蓍)는 다섯 아들을 두었는데 모두 명망을 떨쳤지요. 그 장남이 강회백(姜淮伯)으로 벼슬은 정당문학, 대사헌, 동문면도순문사에 올랐습니다.

강회백의 손자 강희안(姜希顔 1419~1463)은 국내 최초 식물품평서인『양화소록(養花小錄)』에서 정당문학에 오른 할아버지(강회백)가 정당매를 심었다고 증언하고 있습니다. 그런데 그 나무는 죽고 그의 증손자 강용휴(姜用休 1450~1505)가 다시 심었다고 합니다. 하지만 최초의 식수자 뜻을 기려 오늘날까지 '정당매'로 일컬어지고 있지요. 한편 그 수령 650년생 매화의 허리가 잘리기 전 해(1998)의 장대한 모습을 필자가 그린 인연이 있습니다(32쪽 그림).

그리고 이곳 하씨고가의 '원정매'를 현재의 모습이 아닌 옛 등걸과 함께 조형미가 빛나던 시절(2008)에 그린 졸작도 남아 있습니다(30쪽 그림).

제행무상(諸行無常)인가요. 모든 것이 변한다지만 오랜 세월을 살아온 매화를 보존하기 위해서는 수령만 중요시할 게 아니라 조형미가 훼손되지 않도록 각별히 관심을 가져야 합니다.

하씨고가와 원정매 검은돌

**하씨고가와 원정매** 한지에 수묵채색 58×93cm 2011

**남사마을 하씨고가의 봄** 화첩에 수묵담채 24×67cm 2005

　명목(名木)의 가치는 한 집안의 자랑을 넘어 마을의 상징이요, 국가의 자연유산
이기도 한 까닭입니다.

　그런데 어찌된 사연인지 그 당시 담장 너머에서 매화와 함께 그렸던 거대하고
수려한 소나무도 사라졌습니다. 모두들 기억하기로 마을에서 가장 멋진 소나무였
다고 합니다. 문화유산은 불타고 사라져도 복원할 수 있지만 자연유산은 불가능합
니다. 그래서 어쩌면 더 귀중히 여겨야 할 게 자연유산이 아닌가 싶습니다.

　이러한 아쉬움을 뒷뜰의 감나무밭을 지나 수령 600년생 감나무를 만나면서 달

라집니다. 참으로 감사한 일이지요. 앞서 밝혔듯이 이 감나무는 하즙의 증손 하연
이 심은 것으로 표석엔 '문효공경재선생수식시목(文孝公敬齋先生手植柿木)'으로
되어 있습니다. 1986년도 기록에 따르면 약 580년으로 되어 있으니 현재 수령은
600년이 넘습니다.

　여전히 가을이면 다홍빛 홍시가 주렁주렁 열리는데, 고난의 세월을 뚫고 살아온
감나무의 결실 앞에 가슴 뭉클합니다. 갈라지고 터지고 구멍 난 거대한 둥치와 억
센 껍질에 옛 사연과 이끼가 무성합니다. 우러러볼 때마다 두 손 모아지지요.

600살 감나무 한지에 수묵채색 214×149cm 2014

죽어서 사리를 남기기보다

살아서 누군가의 허기를 재우는 양식이 되리.

......

저 생불生佛의  감나무는

아무도 모르는 천체의 설계도를 갖고 있다.

_이종성의 '육백년 감나무' 중에서


　지금의 하씨고가는 예전엔 규모가 매우 컸다고 합니다. 동학농민운동 때 불탄 이래 복원하지 못하다가 대를 이어 살아온 31대 후손이 새로 지은 것입니다.

　이곳을 거쳐 간 수많은 후손 중에 약헌(約軒) 하용제(河龍濟 1854~1919)는 애국지사 곽종석의 제자로서 함께 파리만국평화회의(1919년 봄)에 독립을 호소하는 탄원서를 보냈다가 감옥에 갔혔고, 그 후 후유증으로 타계하였습니다. 나라에서는 건국훈장 애족장을 추서했지요.

　이 명문가의 제일 어른인 원정공 하즙을 기리어 대원군 석파(石坡) 이하응(李昰應 1820~1898)은 '원정구려(元正舊廬)'라는 글씨를 남겼습니다. '원정공이 살던 옛집'이라는 뜻입니다. 원본은 아니지만 복각 현판이 원정공의 그림자처럼 마루 위에 걸려 있습니다. 그리고 지금의 원정매는 옛 매화가 죽기 전에 식재한 후계목으로 다시 피어나고 있습니다. 입향조의 영혼으로!

**육백년 감나무** 한지에 수묵채색 70×139cm 2011

# 초포정사, 이동서당과 유림독립운동기념관

마을을 가로지르는 남사천 산 밑이 '상사(上沙)'인데, 초포동교(草浦洞橋)를 지나면 '초포정사(草浦精舍)'가 모습을 내밉니다. 정신문화와 학문의 전당이었던 옛 시절을 그리워하며 해쓱한 얼굴을 보입니다.

초포정사는 성주이씨 가문의 유학자 월포(月浦) 이우빈(李佑贇 1792~1855)의 학덕을 기리며 유생들이 학문을 익힌 곳이지요. 기문(記文)에 의하면 "만년에 고향 이구산 아래 선조 매월당 옛 집터에 집을 지어 월포농사(月浦農舍)라 편액하고 '성경(誠敬)' 두 자를 손수 써서 벽에 걸어놓고 수양과 반성을 했으며 좌우에 책들을 두고 동정(動靜)에 따라 성찰하기를 한 순간도 늦추지 않았다."고 합니다.

이우빈은 부모의 3년상을 극진히 치르고 이 마을의 선비 남고(南皐) 이지용(李志容1753~1831)에게 학문을 익혔습니다. 스승인 남고는 승문원 정자, 봉상시 직장, 성균관 전적 등의 벼슬과 종부시주부로서 왕명을 받들어 '칠서집주(七書集註)' 교정작업에 참여(1797)한 인물로 병조좌랑을 지냈습니다. 『남고집(南皐集)』을 남긴 그의 강직한 성품은 공적인 자리가 아닌 사사로운 자리는 결단코 사양했다고 전합니다.

재상 정만석(鄭晩錫)이 남고가 과거를 볼 때 시관이었는데 한번 보자고 하니 "초야의 신진 선비는 공적인 일이 아니면 대감을 만나는 일은 옳지 않은 듯합니다." 하고 거절했답니다. 어떤 연줄이라도 대고 싶어하는 오늘날의 인맥사회에 깨우침을 줍니다.

이와같이 준엄한 스승에게 학문을 익힌 이우빈 또한 "학문을 하는 데는 먼저 모름지기 뜻을 세워야 한다. 뜻이 서지 아니 하면 만사가 성취됨이 없을 것이다."라고 했습니다. 또 나아가 "후학자들은 모두 성인은 특별한 사람이어서 배운다고 미칠수 있는 것이 아니라고 말을 하니, 이것은 스스로를 포기하는 일이다. 우리는 성인과 더불어 같은 것이 있는데 그것은 '인성(仁性)이다. 마땅히 힘을 다하여야 할 것이다."라고 하였답니다.

이 정신을 이어받은 이곳 출신의 제자로 남천(南川) 이도묵(李道黙 1843~1916)과 동생인 월연(月淵) 이도추(李道樞 1848~1922) 가 있습니다.

남천은 1914년 진양(晉陽)의 연산(硯山) 밑에 지역 선비들과 도통사(道統祠)를 창건하여 공자, 주자 및 안향(安珦)의 영정을 모시고 도학(道學)의 부흥을 꾀한 인물이며, 동생인 월연도 함께했지요. 특히 월연은 1883년 여름 곽종석, 박규호, 하용제 등과 금강산 등을 유람한 『동유기행(東遊紀行)』을 남겼고, 『남명집(南冥集)』 교정에도 참여한 선비입니다.

초포정사(草浦精
한지에 수묵채색
92×60cm 201

초포정사의 첫 주인인 이우빈이 임종 때 이렇게 타일렀다고 합니다.

> 나는 친상을 당하여서는 가난하여
> 모든 것을 다하지 못하였는데.
> 이것이 평생의 한이 되었다.
> 내가 죽거든 부디 상을 후하게 치르지 말라.

초포정사는 한옥으로서도 매우 독창적이고 우수합니다. 용마루 기와를 담장 기와 형태로 멋을 냈고, 내부 공간이 이채로우며 여러 문양과 장식도 독특합니다. 이른바 새로운 형태의 한옥입니다.

이처럼 성주이씨 집안의 문풍(文風)을 날린 유서 깊은 초포정사는 매월당─남계─남고─월포─남천─월연의 삶과 정신이 서린 곳입니다. 하지만 지금은 늦가을을 쓸쓸하게 지키고 있는 단풍나무 하나와 마당에 남아 있는 향나무 그루터기, 그리고 둘레에 감나무들만 즐비합니다. 새날의 손길을 기다리고 있습니다.

초포정사와 이웃한 골목 너머에는 정신문화의 또 다른 산실이 있으니 이동서당(尼東書堂)입니다.

성리학과 유학을 집대성한 구한말 영남학맥의 종장으로 일컬어지는 면우(俛宇) 곽종석(郭鍾錫 1846~1919)의 유적지이지요. 선생을 추모하기 위해 후손과 제자들이 건립(1919)한 건물로 경남문화재자료 제196호입니다.

**이동서당 현판 사진**

이동서당은 강당(정면 5칸, 측면 1칸 반의 팔작지붕)과 서재(정면 3칸, 측면 2칸에 우진각지붕), 뒤뜰의 사당(정면 3칸, 측면 1칸 반의 맞배지붕)으로 구성되었습니다.

개결한 선비의 얼굴을 맞이하듯 대문은 '일직문(一直門)'이라는 현판을 달고 있습니다. 대문을 지나 우측 마당을 보면 '면우곽종석선생유적비(俛宇郭鍾錫先生遺蹟碑)'가 우뚝 서 있습니다. 광복 40년(1985)에 세웠는데 선생의 생애와 애국의 기록으로 이일해(李一海)가 찬(撰)하고 하용문(河龍雯)이 글을 썼습니다.

곽종석은 현풍곽씨(玄風郭氏)로 이곳에서 태어났는데, 타지로 나갔다가 28살 때 어머니를 모시고 돌아와 39살까지 살았습니다.

학문이 깊어 「인심도심설(人心道心說)」, 「사단칠정경위도설(四端七情經緯圖說)」 등을 저술한 그는 성리학을 집대성한 인물로 꼽힙니다. 임금의 부름을 받아 자헌대부(1903)에 올랐고, 의정부(議政府) 참찬(參贊)으로 시독관(侍讀官)에 이르렀습니다. 하지만 "올바른 학문을 높이 장려하여야 하고, 민심을 수습하여 단결하게 해야 하고, 군사의 체제를 확립해야 하며 국가의 재산확보를 위해 절약해야 합니다."라는 상소를 임금에게 올리고 사직했습니다.

이동서당 일직문(尼東書堂 一直門) 한지에 수묵 59×89.5cm 2011

尼東書堂

玄石

이동서당(尼東書堂)
한지에 수묵채색
90×60cm 2011

그 후 을사늑약(1905)이 체결되자 조약의 폐기와 매국노들의 처형을 간곡히 청했으며, 유림을 대표하여 파리평화회의(巴里平和會議)에 보낼 파리장서(巴里長書)를 작성해서 전달하고 발각되어 1919년에 투옥되었습니다.

그 후유증으로 세상을 뜨니 향년 74세요, 문하생으로는 회봉(晦峯) 하겸진(河謙鎭 1870~1946), 심산(心山) 김창숙(金昌淑 1879~1962) 등을 배출했습니다.

곽종석은 무엇보다 당시 이곳 마을의 정신문화를 선도했던 인물이요, 개결한 선비요, 문장과 저술, 그리고 글씨로도 뛰어난 분입니다(256쪽 자료).

전해오는 일화 한 토막. "도호공(都護公) 하겸락(河兼洛)이 가장 아끼던 병서(兵書) 한 권이 있었는데 그만 화재로 소실되었다. 마침 십수 년 전에 면우가 도호공의 권유로 그 병서를 읽은 기억이 있었기에 혹시 기억해낼 수 있느냐고 했더니 즉석에서 집필하여 완성했다. 이를 본 도호공이 한 자의 오차도 찾을 수 없었다."고 전합니다.

산청군에서는 곽종석의 정신과 사상, 그리고 애국혼을 기려 이동서당 옆 부지를 확보하여 '유림독립운동기념관(儒林獨立運動記念館)'을 설립하였습니다. 2013년에 개관한 기념관은 유림의 독립운동 역사와 파리장서의 내용을 소개합니다. 그리고 면우 곽종석의 생애와 제자인 심산(心山) 김창숙(金昌淑 1879~1962) 등 애국지사들의 삶을 자료와 함께 영상으로 보여줍니다.

그 다음 추모의 글과 태극기 변천사, 일제가 가둔 수감자의 사진과 '고문 체험 벽관'을 마련해 두었습니다. 또한 영상실을 별도로 두어 파리장서 사건의 과정을 알게 하고 산청과 남사예담촌의 사계도 내방객에게 소개합니다.

俛宇 郭鍾錫先生像

癸巳夏 李鎬信 謹寫

**면우 곽종석 선생**
한지에 수묵채색
93×59cm 2013

**유림독립운동기념관** 한지에 수묵채색 60×92cm 2017

　　한편 마을 입구 광장에 '파리장서기념탑'이 건립(2018. 4. 8)되었습니다. '진주목
문화사랑방'(회장 이상호)이 3·1운동 100주년을 맞이하여 지역민의 자발적인 참
여와 봉사를 바탕으로 건립한 것입니다.

# 내현재와 채남정

초포정사에서 나와 앞산을 조금 올라가면 '내현재(乃見齋)'가 호젓이 나타납니다. 산길이고 사람의 왕래가 잦지 않아 한적합니다. 이곳은 성주이씨들이 살게 된 마을의 입향조요, 경무공 이제의 손자 사직공(司直公) 이숙순(李叔淳 1423~1483)을 모시는 분암(墳庵; 무덤을 지키는 묘지기가 사는 집)으로 현종 때(1843) 창건되었습니다.

이숙순의 묘비가 오른쪽 산등에 있는데 '부사직성산이공지묘(副司直星山李公之墓)'로 되어 있습니다. 그는 사육신의 한 분인 성삼문의 이모부로서 단종을 다시 왕으로 복위하자는 모의로 주변이 피해를 당하게 되자 동생 계순(系淳), 의순(義淳)을 데리고 이 마을로 내려온 것입니다. 지금 마을의 성주이씨 가족은 바로 이들의 후손이지요.

건물(정면 5칸, 측면 2칸에 팔작지붕)은 후손들이 공부하던 서재로 활용되어 '앞서재'라고 불리어 왔답니다.

내현재 담장 밖에는 뿌리 깊은 느티나무가, 담장 안에는 은행나무와 모과나무가 대숲과 어우러져 있습니다. 또 길 너머의 연못은 옛 풍류를 전하는데 거대한 왕버들과 벚나무가 못가를 드리웁니다. 얼마 전까지도 사람들은 이 연못에서 멱 감고 붕어, 메기, 미꾸라지를 잡으며 놀았답니다. 조상의 음덕으로 살아온 후손이 그 은혜를 기리는 일은 당연지사입니다. 새롭게 정비하고 조상의 뜻을 이어가야 하겠지요.

　이제 산길을 내려와 남사천의 용소바위를 바라보며 마을둘레길을 따라 이사재 쪽으로 걸음을 옮기면 거대한 팽나무 사이로 '채남정(采南亭)'이 보입니다. 이 지역에서 태어난 성주이씨 이분국(李芬國 1658~1702)을 모신 제각입니다. 그는 무과에 합격하여 숙종 10년(1684) 함경도 군직에 있던 중 맏형 이영국(李英國)의 소식을 듣습니다. 고향에 돌림병이 돌아 지금의 운리쪽으로 피접을 가 있던 중 도적들의 칼에 맞아 피살되고, 조카인 이윤현(李胤玄)이 아버지를 구하려다 함께 칼을 맞았다는 것입니다. 이분국은 도적들을 잡기 위해 휴직을 자청하여 고향에 내려옵니다. 결국 3년 만에 전라북도 진안의 어느 주막에서 범인들을 발견하고 8명을 체포하여 재판에 회부, 모두 참형된 것을 확인한 후 귀향하였다고 합니다. 채남정과 함께 조카 이윤현의 흔적인 '사효재'와 '효자각'이 남아 있으니 두 형제 집안의 의리와 효성이 누대로 회자되는 셈입니다.

　이사교에서 바라보는 채남정의 경관과 주변 환경은 매우 뛰어납니다. 작은 샘터(우물)와 계곡이 흐르는 골짜기, 팽나무와 대나무의 조경이 아름답고 그 아래 남사천에 떠 있는 거북바위, 용소바위, 메기바위가 한눈에 들어옵니다. 시원한 경관이 그림 같습니다. 그런데 특이하게도 채남정 길목 입구에 두 개의 큰 바위가 있습니다. 좌측에 '장암(丈岩)', 우측에 '우암(友岩)'이라고 새긴 각자가 보입니다.

내견재(乃見齋) 한지에 수묵채색 60×92cm 2011

乃見齋閑
玄石

采南亭
玄石

이곳을 서성이던 시인이 어느 날 시를 보내 왔습니다. 옛날의 사연을 알고나 있었는지, 시는 마치 끈끈한 형제애를 바위에 새겨 오래도록 전하려는 듯했습니다.

채남정采南亭 가는 길
제 뜻을 흐리지 않은
사수泗水의 깊은 물이 맑은 걸 알고
이구산 비탈을 굴러와
평생의 묵언을 담근 채
형님 아우 천년을 벗하여
비바람 건너온 인연으로
누구도 들어내지 못하는
미동도 없는 무게
석불의 고요로 좌정한
저 현묵玄黙한 바위 둘
_이종성의 '장암과 우암'

# 이구산과 당산의 삼백헌

남사천(사수)을 끼고 솟은 '이구산(尼丘山)'과 '당산(堂山)'은 마을의 상징으로 서로 마주보고 있습니다.

이구산에는 성터가 있는데 임진왜란 때 쌓은 것으로 자연지형을 십분 이용하여 구축하였습니다. 기록에 따르면 승병이 쌓았다고 하며 길이가 300m인데 지금도 형태가 살펴집니다. 이구산 정상에 올라보면 너럭바위 사이로 소나무들이 뿌리를 내렸습니다. 여기에선 마을 전경이 환히 내려다보입니다. 까마득히 먼 옛날부터 해와 달, 바람과 눈보라를 벗해온 이구산의 정기가 마을을 감싸주고 있지요.

그 건너의 당산은 소나무가 울창한데 꼭대기에 당산나무가 있습니다. 예전의 당산목(느티나무)이 고사(枯死)하여 1996년 4월에 새로 후계목을 심었지요. 섣달 그믐날에 당산제를 지내오다가 요즘은 정월 보름날에 지냅니다. 마을의 안녕을 위해서지요.

니주는 소나무와 달
김은돌

**이구산 소나무와 달** 한지에 수묵채색 58×91cm 2011

**당산나무 스케치** 화첩에 수묵 33×20cm 2011

**이구산의 밤** 한지에 수묵채색 92×58cm 2011

이구산의 노을 한지에 수묵채색 60×90cm 2011

삼백헌(三白軒
한지에 수묵채
89×60cm 2

그 산 아래 '북바위'와 '삼백헌'이 있습니다. 마을에 경사가 날 때면 북바위가 저절로 울리고 성주이씨 집안에도 좋은 일이 생긴다는 전설이 내려옵니다.

삼백헌(三白軒)은 밀양박씨 후손인 사촌(沙村) 박규호(朴圭浩 1850~1930) 선비를 기리는 정자입니다.

"박진사 찬여(瓚汝 그의 자)가 사는 곳은 사월리이다. 앞의 시내에는 깨끗한 모래가 펼쳐져 있고 찬 달이 밝게 비쳐 마을의 이름을 이로서 했다. 찬여의 집은 자그마한데 흙계단에는 갈대가 소슬하고 냉냉하다. 그러나 시렁에는 경사(經史)가 있어 이로 더불어 아침 저녁으로 옛 선현들의 가르침을 익히면서 개울에 나가 몸을 씻고 달을 대하여 시를 읊으며 가슴에는 한 점의 티끌이 없는 듯 고결하였다."

이 글은 곽종석이 '박진사'를 위해 쓴 정자 기문의 일부입니다. 면우가 '삼백헌(三白軒)'이라고 한 까닭은 "모래도 희고 달도 희고 그 사람도 희다."는 뜻으로 개결한 그의 인품과 선비정신을 높이 산 것이지요.

이른바 '남사마을 박진사'로 불려온 그는 모든 벼슬을 버리고 낙향하여 가업(家業)과 유업(儒業)을 계승하는 데 주력했습니다. 1905년 을사늑약의 변고를 듣고 면우와 연명상소(聯名上疏)를 올렸으며, 경술국치 때가 환갑이었는데 "나라를 잃은 사람이 무슨 잔치냐"고 자손들의 건의를 받아들이지 않았다고 합니다. 마을의 어른으로서 풍속과 교화에 앞장서고 선대의 재실 망추정에서 집안의 화목을 당부하며 떠나니 향년 81세였습니다.

이 유서 깊은 삼백헌은 이구산과 남사천을 향해 앉았지요. 그의 절조가 배인 듯한 굽은 소나무가 마을 들녘을 아늑히 바라보고 있습니다.

# 봉양사와 남사초등학교 터

단성읍에서 솔고개를 넘어 마을로 들어오는 국도 20호선에서 산을 바라보면 매우 큰 사당이 눈에 띕니다. '봉양사(鳳陽祠)'입니다. 진주강씨(晉州姜氏) 박사공파(博士公派)의 재실이지요. 2005년 완공된 것으로 그 규모가 장대합니다.

봉양사 본전(本殿)에 박사공파 시조를 비롯한 3위, 서별사(西別祠)에 6위, 동별사(東別祠)에 6위 등 모두 15위의 선조를 모셨습니다. 그 아래로 봉덕문(鳳德門)을 내려서면 사월재(沙月齋), 마당 끝 담장 앞으로는 오룡문(五龍門)과 관리소가 있습니다.

경내에는 재실 건축내력을 기록한 안내문과 기금조성 내용의 표석이 있고 그 옆에는 고려말 박사공의 6세손 문하찬성사(門下贊成事) 공목공(恭穆公) 강시(姜蓍)의 남사마을 시거(始居)와 약전(略傳)을 기록한 비(碑)가 서 있습니다. 한여름 잔디가 푸른 경내에 다홍빛 배롱나무가 곳곳에서 빛을 발합니다.

鳳陽祠
辛卯夏 玄石

**봉양사(鳳陽祠)**
한지에 수묵채색
2×60cm 2011

봉양사에서 논길을 걸어 나오면 남사교회가 보이고, 그 옆에 '남사초등학교 터'가 자리 잡고 있습니다. 이 초등학교 터는 사실 남사예담촌의 현대교육을 담당한 유서 깊은 곳이지요.

폐교의 아픔을 아는지 모르는지 여전히 세종대왕상, 이순신 장군상, 책 읽는 소녀상이 낙엽 진 교정을 바라보고 있습니다. 어찌 보면 과거의 문화유산만큼이나 소중한 공간이지요. 이곳 출신들이 영원히 기억해야 할 배움의 전당입니다. 이 학교를 거쳐 수없이 출향(出鄕)한 선후배들의 꿈과 추억이 서린 곳입니다. 그래서 1998년에 세운 교지비(校址碑)를 옮겨 봅니다.

이곳은 남사초등학교가 있던 곳입니다.

1937년 5월 14일 사설학술강습회(私設學術講習會)로 발족(發足)하여 1938년 4월 1일 단성공립 심상학교 남사분교장이 되었다가 1942년 4월 1일 남사공립초등학교로 개교(開校)한 이래 55회에 걸쳐 1,618명의 졸업생(卒業生)을 배출하고 농촌(農村) 인구(人口)의 감소(減少)로 말미암아 1994년에 단성초등학교 남사분교로 되었고 1998년 3월 1일 단성초등학교로 통합(統合)되면서 반세기의 역사(歷史)를 마감하였습니다.

졸업생(卒業生) 중에는 사회(社會) 각층(各層)에 훌륭한 인재(人材)로 활약하고 있는 분들이 많습니다. 이에 우리 졸업생(卒業生)들은 뜻을 모아 역사적(歷史的) 모교(母校)의 터를 영원(永遠)히 기억하고자 돌 하나를 세웁니다.

교지비 옆에는 이곳 출신으로 산청교육감을 역임한 교육 공로자 '이은(尼隱) 이상근선생추모비(李尙根先生追慕碑)'가 충효비(忠孝碑)와 나란히 있습니다.

'나라에 충성하고 부모에 효도하는 것'이 어찌 어제의 일이겠습니까. 교육의 백년대계는커녕 한치도 앞을 볼 수 없는 경쟁 세계로만 내모는 삭막한 현실을 떠올리며 저 텅 빈 운동장과 학교 이름이 사라진 교문 기둥을 돌아봅니다. '배워서 남 주던' 선조들의 정신과 마음을 되새겨봅니다. 한 마을 단위로 초등학교가 있었던 것은 근세에 드문 일이었지요. 다시 이곳에 새 문화의 불씨가 지펴질 새날의 인연을 소망합니다.

추신: 2018년 봄에 남사초등학교 건물과 부지는 모두 정비되어 새로운 문화공간을 기다리고 있습니다. 부디 마을과 어울리고 협동이 되는 시설이 들어서기를 기대합니다. 관계부처와 마을의 긴밀한 협조와 논의가 있어야겠습니다.

남사초등학교터

남사초등학교 터 한지에 수묵채색 60×90cm 2011

# 남사예담촌의
# 사계와 생태

마을에서 문화와 오래된 자연유산만큼이나 소중한 자원은 풀꽃들이지요. 물론 먹거리인 채소와 식량을 빼놓을 수 없습니다.

전형적인 농촌마을인 남사예담촌은 사계절 피고 지는 생명의 숨결이 산천과 논밭을 싱그럽게 뒤덮고 있습니다. '크게 바라보되 작은 것을 살펴야 하고, 작은 것속에 큰 것이 들어 있음(大觀小察 小中顯大)'을 떠올리면 하늘 아래 생명들이 모두 소중합니다. 특히 사계절의 풍광과 다양한 생태계는 마을을 살리고 삶의 원동력을 제공합니다.

겨우내 흙 속에서 생명을 품었던 것들이 기지개를 펴며 대지를 뚫고 올라오는 장면은 참으로 경이롭습니다. 꽃나무의 봉우리가 터지는 순간은 마치 우주가 열리는 소식 같습니다. 언제나 '산다는 것은 철마다 피어나는 꽃소식을 듣는 일이요, 부지런한 농부에게 새 희망을 선사하는 일'인지도 모릅니다.

마을 곳곳에서 꽃들은 연이어 피고 또 집니다. 봄이면 사람들은 때 맞추어 분토와 터갈이를 하고 모판을 마련합니다. 낡고 구멍 난 비닐하우스를 손질하고 해묵은 농기구도 닦고 기름칠하지요.

**텃밭의 봄**
지에 수묵채색
×59cm 2011

**이구산 남사마을의 봄** 화첩에 수묵담채 24×50cm 2005

　이처럼 신성한 대지 위의 노동은 실로 거룩합니다. 인류가 살아온 이래 지금껏 변하지 않는 미덕이 있다면 '씨 뿌리고 가꾸고 거두어들이면서 자연의 이치를 따라 그 순리에 감사하며 사는 일'일 것입니다.

　나날이 농경문화가 위협받고 생태계의 교란이 늘어갈수록 푸른 농심(農心)이 그리워지는 현실 속에서 묵묵히 주어진 일을 하며 마을을 지켜온 농부들이 고마울 따름입니다. 농촌은 사실 도시를 탄생시킨 어버이와 같은 존재입니다. 결국에는 도시로 떠나갈 자식을 위해 온갖 뒷바라지로 희생을 감수해온 이들이 대부분 농민 들이었으니까요. 이러한 은혜를 입은 자식들이 부모가 돌아가신 뒤에야 후회하는 일은 없어야겠지요.

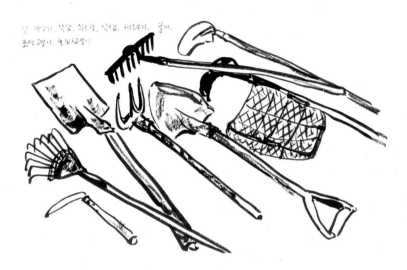

낫 까꾸리, 작두, 희드랑, 막삼, 쳐러겨, 끌게,
호선 괭이, 휘바꾜랑이

**텃밭 연장 스케치** 화첩에 먹 20×33cm 2011

손톱에 가시가 든 것은 실감하면서 심장에 문제가 생긴 건 알아차리지 못하는 경우가 많습니다. 어버이가 건강하게 존속해야 자식들도 행복할 수 있는 까닭입니다.

그런데 왜 도시 사람들은 종종 농촌마을로 나들이를 올까요?

어쩌면 잊고 지낸 자연의 유전자가 작용하여 고향과 땅에 대한 그리움을 새롭게 일깨워주는지도 모릅니다. 누구나가 진정한 삶의 진원지를 찾고 싶을 테니까요. 인간은 자연과 조화를 이룰 때 가장 행복해지며 충만한 삶을 영위하게 되는 것이지요.

모내기철 깊은들

**모내기 철** 한지에 수묵채색 69×138cm 2011

이씨고가 남호정사 월매(李氏古家 南湖精舍 月梅) 한지에 수묵채색 59×93cm 2011

李氏古家
南湖精舍月梅
玄石

**산수유** 화첩에 수묵담채 24×33cm 2005

　해마다 어김없이 남사예담촌에 화신(花信)이 날아듭니다. 고목의 산수유 꽃이 화사하고 민들레가 돌담 아래 웃음 짓고 매화가 꽃망울을 터뜨리면 논밭에 사람들이 모여듭니다. 텃밭 연장을 챙겨 삼삼오오 모여서 밭일을 시작합니다.

　모내기 철이 다가오면 논은 물론이고 이곳의 주요 농작물인 딸기하우스가 무척 부산합니다. 앙증맞은 흰 꽃들이 진 여린 가지에 알알이 탐스런 붉은 딸기가 대롱입니다. 꽃이 져야 열매를 맺는 법이지요.

　상추, 무, 쑥갓, 참깨 씨를 밭에 뿌리고 퇴비를 고르게 흩뜨립니다. 고추 모종을 구해 심고 일렬로 지주대도 세워주어야 하지요.

**딸기 스케치** 화첩에 먹 20×33cm 2011

**딸기** 화첩에 수묵담채 24×33cm 2005

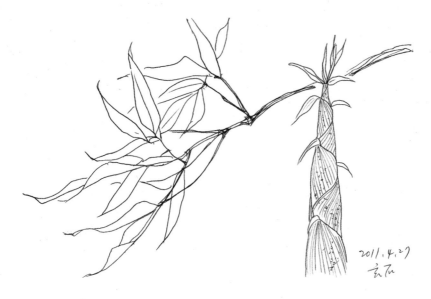

2011. 4. 27
죽순

**죽순과 댓잎** 화첩에 펜 20×33cm 2011

2011. 5. 24
감꽃

**감꽃 스케치** 화첩에 펜 20×33cm 2011

사람들이 열심히 일을 하는 동안 주변 산야와 마을의 과실나무와 들꽃들은 스스로 잎을 틔우고 꽃을 피웁니다. 대숲의 죽순이 하늘을 찌를 때면 감나무에도 잎이 돋고 비로소 감꽃이 달리기 시작하지요.

> 빈 마당의 고요로
> 떨어지는 꽃
> 몰래 주워 먹다 그만
> 내 원적에 찍고 만
> 혈흔 같은 지문 있다.
> 허기질 때마다
> 오장육부에서
> 다시 툭 툭 떨어지는
> 어머니 치맛자락에
> 쏟던 눈물과
> 똑같은 무게를 지닌
> 그 꽃이 있다.
> _이종성의 '감꽃'

**낮달과 감나무** 한지에 수묵채색 60×93.5cm 2011

**찔레꽃** 화첩에 먹과 채색 20×33cm 2011

　가만히 감나무 사이의 낮달을 우러러봅니다. 해묵은 감꼭지와 새잎이 한눈에 들어와 어제와 오늘이 함께 쪽빛 하늘에 펼쳐집니다. 묵은 것과 새것이 해후하고 있습니다. 생(生)과 사(死)의 노래입니다.

　마을 앞 당산 솔숲에는 울긋불긋 진달래가 만발하고 산언덕에는 찔레꽃 내음이 번져오르고 벌들이 잉잉거립니다. 그런 가운데 이곳저곳에서 꽃들이 얼굴을 환히 내밉니다. 배추꽃, 무꽃, 감자꽃, 쑥갓꽃이 얼마나 어여쁜지 보셨는지요. 마당엔 석류꽃과 앵두가, 담장 아래엔 메발톱꽃이 앞다퉈 피어납니다.

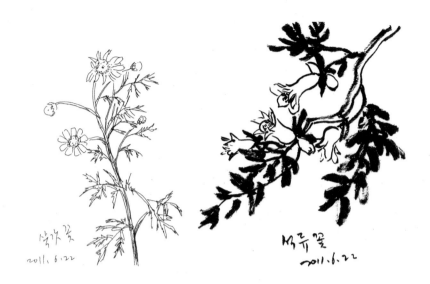

**쑥갓꽃과 석류꽃 스케치** 화첩에 펜과 먹 20×33cm 2011

**메발톱꽃** 화첩에 먹 20×33cm 2011

도라지꽃 스케치 화첩에 먹 33×20cm 2011

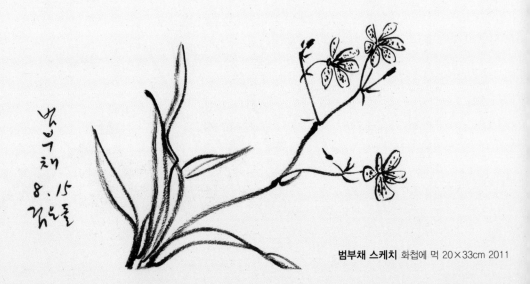

범부채 스케치 화첩에 먹 20×33cm 2011

2011. 7. 26 가지

**가지 스케치** 화첩에 먹 20×33cm 2011

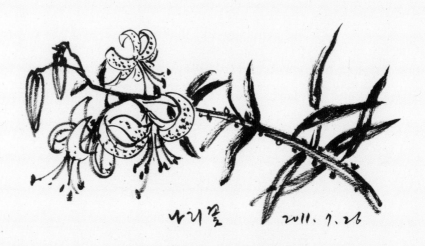

나리꽃   2011. 7. 26

**나리꽃 스케치** 화첩에 먹 20×33cm 2011

2011. 4. 28
고구마
모종심기

**고구마 모종심기** 화첩에 먹과 채색 20×33cm 2011

　이구산 중턱에 솜털처럼 무성한 밤꽃이 번지면 텃밭에 고구마 모종을 심습니다. 이제 성큼 여름이 다가온 것이지요.

　흑갈색 흙 기운이 무성하게 참깨밭을 살찌울 때 함초롬히 흰색, 보라색 도라지꽃이 어울려 핍니다. 또 담장을 타고 내려오며 웃음 짓는 능소화를 울밑의 범부채와 봉선화가 반겨줍니다.

　바야흐로 여름이 무르익으면 나리꽃이 피고 텃밭의 가지가 대롱거리며 눈길을 끌어 당기지요. 한 차례 소나기가 지나는 대숲으로 황망히 제비가 둥지를 찾아 떠나고…… 장마가 지난 뒤의 남사천은 더욱 깊고 푸릅니다.

풍우(風雨)
한지에 수묵채색
93×59cm 2011

**능소화와 범부채**
한지에 수묵채색
138×69cm 2011

**들깨밭과 도라지**
한지에 수묵채색
137×70cm 2011

남사천 용소바위에는 백로와 왜가리가 정답게 번갈아가며 짝을 기다리지요. 그리고 강가의 갈대숲 주위엔 개망초가, 밤에는 달맞이꽃과 박꽃이 남사천 둑길을 밝힙니다.

붉은 배롱나무가 마을 곳곳에서 정념을 토하고 옥수수와 고추가 익어가는 계절……. 마을 사람들은 밀짚모자를 벗어두고 정자에 모여 수박을 깨거나 오수를 즐깁니다.

어느 사이 고추잠자리가 맴돌고 하늘이 높아지면 덩달아 나팔꽃도 나무줄기를 타고 오르고 호박이 누렇게 익어가지요. 마침내 가을이 찾아온 것입니다. 한가위 벼베기에 콤바인 소리가 요란하고 늦가을 출하를 위해 딸기 비닐하우스는 다시 새벽부터 분주해집니다. 옥수수를 쪄먹으며 빈 텃밭에 마늘을 심고 겨우내 먹을 고구마를 캡니다.

단풍나무잎과 은행잎이 물들어가는 시간, 담장의 온 감나무는 주홍빛 꽃등을 켜며 온 마을을 밝히기 시작하지요.

희한하게 물든 담장의 넝쿨을 바라보며, 감나무 낙엽을 밟으며 골목길을 걸어보세요. 누구나가 다 남사예담촌에 머물고 싶어집니다. 사랑하는 이와 함께 오고 싶어집니다. 모두들 사진을 찍으며 행복해 합니다.

**노을 속의 옥수수**
한지에 수묵채색
5×58.5cm 2011

**감따기**
한지에 수묵채색
92×60cm 201

**용소바위** 한지에 수묵채색 57.5×90cm 2011

**곶감만들기** 화첩에 먹과 채색 20×33cm 2011

　이즈음 마을 집집마다 곶감 만드는 일로 가족이 둘러앉아 저물녘까지 이야기꽃을 피우며 일손을 움직이지요. 깎은 감을 말리기 위해 담벼락이나 처마 밑에 주렁주렁 꿰어 걸어놓은 모습이 장관입니다. 한편으로 이웃과 함께 김장을 담그며 마을 사람들은 도타운 정을 더욱 다집니다. 이럴 때는 어김없이 막걸리 잔도 오고 가지요.

　남사예담촌의 겨울은 참 조용합니다. 침묵 속으로 깃듭니다. 눈이 드문 탓에 뜨락의 햇살과 바람소리, 그윽한 은하수와 청아한 달빛을 벗 삼아 지내지요. 노인들은 마을회관에서 지난일과 추억을 곰삭이며 봄을 기다립니다.

　그런가 하면 겨우내 비장한 홍시와 단감을 꺼내 먹거나 밤과 고구마를 구워 먹습니다. 이런 재미는 농촌에서 누릴 수 있는 특별한 낭만이지요.

마을에는 아직도 장작으로 군불을 지피는 집이 여럿 있는데, 그 집 굴뚝 위로 피어오르는 연기는 고향을 그리듯 향수에 젖게 합니다. 그리고 나뭇잎을 다 떨궈낸 고목의 까치집들이 선명히 드러나 있는 모습을 보고 있자면 시나브로 '텅 빈 충만'의 시간 속으로 빠져들지요.

예로부터 마을의 아름다운 경관으로 손꼽아온 '남사 8경'이 있어 여기에 소개합니다(부록 218쪽).

1. 이구산에서 떠오르는 해를 보는 '이구산일출(尼丘山日出)'
2. 남사천의 맑은 강물을 보는 '사수청류(泗水淸流)'
3. 숲의 시원한 바람과 푸른 그늘의 '동수량음(洞藪凉陰)'
4. 용의 전설을 지닌 용소바위 비경 '용소은린(龍沼銀鱗)'
5. 단풍나무 등 낙엽의 아름다움을 보는 '전산풍엽(前山楓葉)'
6. 이구산 북바위를 닮은 보름달을 보는 '고암백월(鼓岩白月)'
7. 내현재 연못의 정취를 만끽하는 '내현류지(乃見溜池)'
8. 망추정에서 바라보는 일망무제의 풍경 '망추원경(望楸遠景)'

**겨울 회화나무1** 화첩에 수묵담채 33×24cm 2005

**겨울 회화나무2** 화첩에 수묵담채 33×24cm 2005

**나팔꽃과 호박**
한지에 수묵채색
92×59cm 201

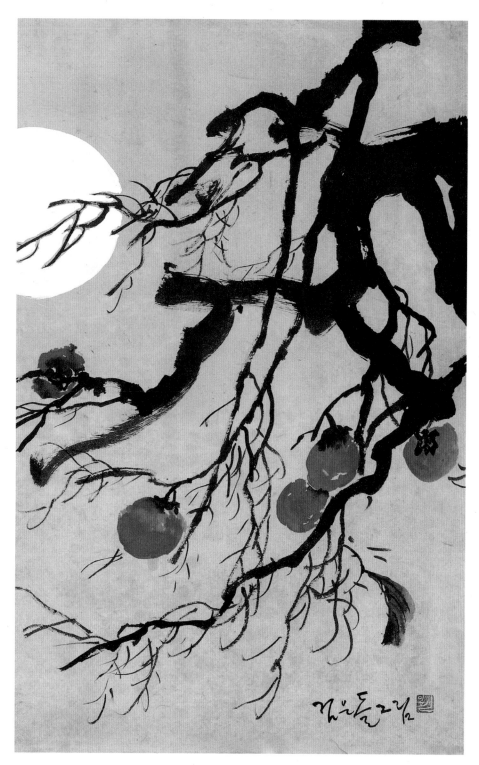

**낮달과 감**
한지에 수묵채색
5×60cm 2011

**옥수수와 고추** 한지에 수묵채색 69.5×138.5cm 2011

**가을 하늘과 감** 한지에 수묵채색 70×139cm 2011

지리산 검은들

남사예담촌 이야기
...다섯

함께 살며
나누는 마을

회화나무 두 그루가

하늘과 땅을 열고 평생의 지기가 되어

만유를 품은 골목길

걸어가고 걸어오는 사람들 달같이 둥글다.

세상을 돌며 경서를 읽듯

탁류와 청류, 깊은 물과 얕은 물

그 모든 문장들을 읽어

모서리를 버리고 둥근 몸을 얻은

후덕한 돌들 금강의 기운마저 도는

검은 돌도 흰 돌도 맑은 빛을 뿜는 돌담 되어

가가호호 기와집들 에둘러 품었다.

누구일까? 저 높은 지리산 능선 그대로

용마루로 얹은 고가에 붓과 서책 놓지 않고

선비의 기상을 이어받고 사는 사람들

육백년 넘은 매화와 감나무가

남사천의 맑은 물소리 들으며

꽃을 피우고 열매를 맺는 고아한 한옥마을

늘 이구산이 지켜보며 한 말씀 하신다.

그대가 누구건, 돌멩이 하나까지도

백의종군하는 하심으로 돌아가시라.

인仁을 담고 의義도 담고 예禮도 지智도 담아 가시라.

비우고 낮춘 만큼 깊어지고 넓어진

마음 바다가 될 때까지.

_ 이종성의 '예담촌'


어느 마을이든 현실을 직시해야 하고 삶의 지평을 바라보아야 합니다. 과거를 돌아보고 미래를 내다보는 '오늘'이 되어야 합니다. 아무리 찬란한 역사와 문화, 환경을 지녔다 해도 현재의 현실이 어둡고 이웃에게 인정받지 못한다면 희망이 없기 때문입니다. 그렇다면 오늘의 남사예담촌은 어떠할까요.

우리는 과거 역사를 통해 배우고 깨닫자는 것이지 결코 과거의 삶을 동경하거나 되풀이해선 안 됩니다. '전통'과 '창신'이 새의 양 날개처럼 함께 움직여야 하고, 수레의 두 바퀴처럼 함께 굴러가야 합니다. 농촌에도 자가용과 컴퓨터, 휴대폰이 집집마다 있는 터에 문명의 이기를 마다할 일은 아닙니다. 다만 문명과 문화의 조화 속에 지혜롭게 마을의 특성을 살려 나가자는 것이지요.

오늘의 강물에 손을 담가보세요. 분명 오늘의 물이요, 강가에 피는 꽃들도 어제의 꽃이 아닙니다. 오늘, '지금이 꽃자리'가 되어야 합니다. 이제 남사예담촌의 현실과 생활문화를 돌아보고 함께 사는 삶, 서로 나누는 삶을 살펴보려고 합니다.

## 마을 정자와 물레방아

남사예담촌의 첫 인상을 기억하는 이들은 아마도 물레방아를 떠올릴 것입니다. 물레방아는 두 군데에 설치되어 있는데, 하나는 마을 입구 당산 아래 하즙 선생 비석 앞(28쪽 그림)과 또 하나는 전통찻집 방앗간 옆에 있습니다.

앞의 물레방아는 예전에 동력을 이용해서 실제로 사용했으나 도로 포장을 하느라 철거된 후 물레만 설치되었고, 뒤의 물레방아도 마을 이미지를 위한 것이지요. 전기로 방앗간 기계를 돌리는 요즘 시대에 굳이 옛날 방식을 고집할 필요는 없지요.

그래도 "물레방아 돌고 도는 내 고향 정든 길……"이라는 가요를 연상시키는 두 물레방아는 남사예담촌이 '농촌전통테마마을'로 거듭난 상징물로서 여전히 눈길을 끕니다. 이곳에는 물레방아 설치를 위해 성금을 낸 출향인들의 명단을 표석에 새겨 두었습니다.

그 건너편에 있는 예담찻집은 마을을 찾은 길손들이 환담을 나누며 머물다 가는 곳입니다. 그 뒤로 정자 '여사정(餘沙亭)'과 '태조대왕이제교서비(太祖大王李濟教書碑)', '사효재', '영모재'로 이어집니다.(42~43쪽 그림)

여사정은 2001년에 건립되었습니다. 마을 사람들이 이 정자에서는 물론 정자 앞 너럭바위에 앉아 이구산을 바라보며 남사천의 물소리를 듣습니다. 한여름엔 화사한 배롱나무를 벗 삼으며 여유로운 시간을 보내기도 하지요.

그 천변 길을 쭉 따라가다 보면 '포구정(浦口亭)'과 함께 경로당에 이릅니다. 아직 현판을 달지 않았지만 포구정이란 이름은 '초포동으로 들어가는 입구의 정자'라는 뜻이지요. 예전에 마을에 큰 수해가 났었습니다. 지금의 다리를 놓기 전인 그때 '포구나무'라 불리던 커다란 나무가 있었는데 복구 공사를 하는 통에 베어졌답니다. 이 일로 공사 관계자들이 마을 주민을 위해 정자를 지어주었다니 포구나무가 죽어서 쉼터를 마련해준 것이지요.

포구정은 무더운 여름날 딸기 하우스에서 일하던 이들이 더위를 씻을 겸 수박이라도 깨면서 이런저런 이야기를 나누는 공간입니다. 또 바로 옆에 있는 경로당 역시 어르신들이 즐겨 찾는 휴식처이지요.

2011년 8월, 마을에는 또 하나의 정자가 남사천 너머 상사 지역인 이구산 아래에 건립되었습니다. '사상정(泗上亭)'인데, '사수(泗水)의 위쪽(북쪽) 정자'라는 뜻이지요. 이 정자는 밀양손씨 집안 규감실(奎鑑室) 앞뜰에 자리하고 있습니다. 그리고 2017년 9월에는 상사마을회관이 건립되어 문을 열었습니다.

한여름밤 별이 빛나고 달님이 이구산 대숲 소리를 듣는 시간, 주민들은 정자에 올라 더위를 식히며 하루의 피로를 풉니다. 아예 드러누워 잠을 청하기도 하지요. 방학이라 내려온 손녀를 바라보며 들려주는 할머니의 이야기도 깊어갑니다.

그런데 한 아낙네가 시아버지를 찾아왔네요. "아버님, 큰댁에서 전화 왔심니더. 급하다고 하네여, 어서 가이소." 휴대폰이 없는 할아버지는 황급히 며느리를 따라 갑니다. 달님이 이윽히 산을 넘어갑니다.

추신: 〈여사정과 물레방아〉(189쪽 그림)에 나오는 물가 도로의 느티나무는 현재 베어져 사라졌습니다. 차도를 위한 일이지만 아쉽기도 합니다.

여사정(餘沙亭)과
물레방아
한지에 수묵채색
93×59cm 2011

**사상정(泗上亭)**
한지에 수묵채색
92×60cm 2011

경로당과 정자(포구정) 한지에 수묵채색 60×92cm 2011

# 기산재와 기산국악당, 그리고 예담원

## 기산재와 기산국악당

앞서 밝혔듯이 '기산재(岐山齋)'는 국악인 기산(岐山) 박헌봉(朴憲鳳 1906~1977) 선생의 유지를 받들기 위한 곳입니다. 2011년 9월에 상사 지역 남사천 윗터에 건립한 건물로서 전통한옥을 체험할 수 있고 숙박시설이 갖춰져 있습니다. 산청군의 지원으로 공력을 들여 지은 이 한옥은 정면 5칸에 측면 2칸, 맞배지붕에 배흘림기둥을 썼고 대문을 겸한 별채의 화장실도 지었습니다.

기산재 자리는 뒷산이 이구산이니 배산임수(背山臨水)의 풍수조건을 갖춘 셈이지요. 이곳에서는 각종 세미나, 회의 등이 가능하며 단체 관광객이 숙소로 활용할 수 있습니다. 고택에서 민박하기를 원하지만 그럴 만한 곳이 부족해서 아쉬워하는 이들에게 편안한 쉼터를 제공하고 있는 것이지요.

이러한 운영 형태는 기산 선생의 뜻과 다르지 않다고 봅니다. 국악운동의 선구

岐山齋
辛卯 秋 玄石

**기산재**(岐山齋)
한지에 수묵채색
×59.5cm 2011

자로서 수많은 제자를 양성했고 국악의 대중화에 기여한 일이 곧 '나눔의 미학'을 실천한 것이니까요.

그후 2013년 8월에는 관계기관과 협조하여 기산국악당(岐山國樂堂)이 설립되었습니다. 기산국악당은 부지 5,609㎡에 건축면적 388.8㎡ 한옥으로 기산관, 교육관, 기념(전시)관, 옥외공연장 등으로 꾸며졌지요. 기산관은 선생의 생애와 업적, 자료를 한눈에 볼 수 있고, 기념(전시)관은 국악기 전시 및 소리체험, 선생의 업적을 영상물로 시청할 수 있으며, 교육관과 옥외공연장은 국악강좌, 강습회, 행사 등의 공간으로 마련되었습니다.

기산 박헌봉 선생은 경상남도 산청군 단성면 사월리에서 박성호의 2남으로 태어나 서당에서 한학을 수학하고 16세에 상경하여 한성강습소를 거쳐 중동중학교 고등과를 졸업하였습니다.

1934년 진주 음률연구회를 조직하여 풍류와 민속악을 연구하고, 2년 후 다시 상경하여 정악전습소, 조선 성악연구회, 조선 가무연구회에서 정악, 아악 풍류, 경서도 가무 등 국악의 여러 분야를 연구하고 두루 섭렵하였다고 합니다.

1941년에는 조선음악협회 조선악부에서 민족음악 진흥을 꾀하다가 광복이 되자 국악건설본부를 창설하는 등 생애 전반기에는 국악의 부흥과 계몽에 힘썼어요.

1960년 민속악 교육을 위한 최초의 사립국악교육기관인 국악예술학교를 설립하여 초대 교장을 역임하고, 이후 국립극장 운영위원, 한국국악협회 이사장, 문화재위원회 위원을 역임하는 등 중·후반기에는 국악의 이론가 및 교육가로 국악진흥에 헌신하였습니다. 또한 저서 『창악대강』을 통해 국악에 대한 열정과 혼을 후세에 남겼으며, 평생을 국악진흥과 교육에 공헌하여 서울특별시 문화상을 수상하고, 국민훈장 동백장을 수훈하였습니다.

岐山 朴憲鳳先生像

癸巳春
又石李鍾信
敬寫

**기산국악당 전통혼례** 한지에 수묵채색 69×138cm 2016

갿들
기산풍악당
전통혼례
이천설봉공원 호엣즈

예담원 스케치 화첩에 먹 20×33cm 2011

기산국악당은 주차장 시설이 넓어서 다양한 마을행사의 공간으로 활용되고 있습니다. 정기적으로 국악공연이 열리고, 마을축제와 전통혼례식도 이곳에서 치러지고 있습니다.


## 예담원

또 하나의 공공 한옥은 기산재와 같은 시기인 2011년 9월에 심혈을 기울여 완공한 '예담원'입니다. 1970년대 새마을운동 시기에 정부 지원을 받아 마을 회관용으로 지었는데 낡아서 새로 지은 건물입니다. 남사예담촌이 〈KBS 6시 내 고향〉의 '백년가약'프로그램에 선정되어 방영되었고, 2003년 농촌진흥청 전통테마마을로

# 남사예담촌 향토음식 체험관
## 상량문

지리산 기운 속에 유구한 역사와 아름다운 전통을
지닌 예담촌 남사마을이 향토음식 체험관을 엽니다
모든 생명이 먹거리를 통해 생존을 이어왔지만
인간은 태어난 토양과 풍토에 맞는 음식문화를
낳았습니다. 이것은 대자연에 순응하여 살아온
삶의 자연스러운 현상입니다.
따라서 깊은 문화의 뿌리를 지닌 예담촌에서
전통음식을 재개발하여 새 시대의 음식문화에
기여하려고 합니다.
지리산이 품은 비구산의 맑은 기운과 담백한 맛을
지닌 음식을 제공하여 주민은 물론 탐방객들에게
즐거움과 건강을 줄수 있기를 발원합니다.
이 음식 체험관의 맛이 예담촌의 또다른 멋으로
널리 사랑받기를 소망합니다.

서기 이천십일년 사월 십삼일 좋은 봄날
남사 예담촌 주민 일동 삼가 올림

**예담원(향토음식체험관) 상량문** 한지에 먹글씨 96×66cm 2011

지정받은 덕분에 우수마을 명품화사업의 지원을 받게 된 것이지요.

새로 지은 예담원의 한옥은 '향토음식체험관'으로 지었는데, 모든 목재를 우리 소나무를 사용하고 전통무늬 창살과 툇마루, 배흘림기둥 양식으로 지어 품위와 멋을 더했습니다.

그동안 마을에는 식당이 부족했습니다. 많은 방문객들이 아쉬워했지요. 그러한 불편을 덜어주는 향토음식체험관이 세워지니 흐뭇한 일이지요. 향토음식체험관이 내놓은 맛깔스러운 한식이 예담촌의 또 다른 맛과 멋으로 사랑받기를 기원하며 상량을 했지요.

기둥에 보를 얹을 때는 상량목에 한문 대신 한글로 축원문을 썼습니다. 누구나 취지를 알 수 있도록 배려한 것이지요.

"이곳의 음식이 모두에게 즐거움과 건강이 함께하기를 소망하며"
_서기 이천십일년사월삼십일 남사예담촌 주민 일동 삼가

그리고 이곳에서 음식을 만드는 이나 주민들이 언제나 이 음식체험관을 설립하며 결의한 첫 마음을 잊지 말자는 다짐으로 상량문을 지어 상량목 안에 봉안했습니다.(199쪽 상량문)

정성 들인 좋은 음식을 나누는 것은 분명 서로가 기쁘고 행복한 일이지요.

# 마을 행사와 축제

　예담촌의 살림살이는 운영위원회, 부녀회, 노인회가 힘을 모아 이끌어갑니다. 이장 중심의 농촌 사회에서 특별히 운영위원회 제도를 둔 까닭은 자문과 대외 행정업무를 뒷받침해주기 위해서지요.

　마을 행사로는 정월 보름에 지내는 동신제(洞神祭)가 있습니다. 아침에 동민이 모여 당산의 목신(木神)에게 제를 올리는데 모두 몸과 마음을 청결히 하며 근신합니다.

　그날에는 동약계(洞約契) 모임도 열립니다. 300년 전통을 이어온 이 모임은 지난해의 공동기금 사용내역을 결산하고 새해의 예산을 짜고 마을의 여러 가지 일도 계획하지요(부록 255쪽).

**마을 청소 후 휴식하는 아낙네들** 화첩에 먹 20×33cm 2011

동약은 곧 향약(鄕約)을 말하는데, 예속상교(禮俗相交), 덕업상권(德業相勸), 과실상규(過失相規), 환난상휼(患難相恤) 등의 덕목으로 협력과 화목을 도모하자는 규약입니다. 이처럼 오랜 전통의 동약계는 남사예담촌의 긍지입니다.

꽃이 피면 마을 어른들은 봄나들이로 효도관광을 합니다. 출향인의 성금과 주민의 후원금으로 노인들에게 즐거움을 선사하는 아름다운 풍속이지요. 연로한 분들이 많은 까닭에 노인의 복지와 대책을 위한 노인회 정기 총회가 매년 7월 17일에 열리기도 합니다.

**남사예담촌 운영위원회** 한지에 먹 24×33cm 2005

    그리고 가을이 오면(9월 말경) 해마다 '남사예담촌 전통문화예술제'가 열리지요. 유명 음악인(장사익, 김덕수 사물놀이, 국악 명인과 무용단 등)들을 초청해 여는 이 예술제는 남사마을은 물론 산청의 축제 마당이요, 국내외 사람들이 함께 흥겨움을 나누는 가을밤의 문화공연입니다.

    한편 마을회관 경화당(敬和堂) 앞에는 주차장과 '남사리연혁비', 마을 안내도가 있습니다. 이 공간은 매우 특별한 의미를 담고 있습니다.

남사예담촌 전통문화예술제 한지에 수묵채색 90×60cm 2011

사수가 감싸돌며 흐르는 마을은 풍수상 반달형격이라고 합니다. 그래서 예전부터 마을 가운데에 공지(空地)를 남겨 두었습니다. 달의 이치에 따라 보름달이 차면 다시 기울기 마련이지요. 머잖아 반달은 보름달이 되고요. 그래서 마을 사람들은 차라리 애초부터 빈 공간을 둠으로써 앞으로 더 클 수 있는 여지를 갖춰 놓은 것이지요.

그런데 농촌테마마을 사업의 하나로 농토였던 이곳 빈터를 함께 사들여 공용주차장으로 사용하고 축제마당으로도 활용하게 되었으니 예지가 있었던 것이지요. 이와 같은 빈터 덕분에 마을은 갈수록 활기를 띠며 발전해 나가지 않을까 싶습니다. 2013년 기산국악당이 설립된 뒤부터는 마을축제도 강 건너 넓은 국악당으로 옮겨서 치르고 있습니다.

추신: 마을 주차장 너머 경화당 옆에 새롭게 건립(2014년)된 남학재(南鶴齋)는 노인복지관을 겸한 '방문자센터'입니다. 마을을 안내하고 소개하는 사무실로 사용하고 있습니다.

**남사천의 여름** 한지에 수묵채색 69×138cm 2011

# 나누며 함께 사는 마을을 위하여

　세상살이에서 '받는 기쁨보다 주는 기쁨'이 더 큰 것은 당연한 이치입니다. 나 자신의 삶이 세상을 이롭게 한다면 이보다 뜻 깊은 보람이 없겠지요.

　좋은 마을, 아름다운 마을이란 가치 있는 것을 함께 '나누는 마을'일 것입니다.

　마을의 소중한 전통과 경험을 널리 알리는 것도 나눔의 미덕이겠지요. 그런데 그러한 것을 진정 나누려면 무엇보다도 체험을 통해 공감할 수 있도록 해야겠지요.

　마을에서는 '체험교육 프로그램'을 운영하고 있습니다. 이 프로그램은 크게 농심 체험, 전통놀이 체험, 전통 배움 체험으로 짜여져 있습니다.

　농심 체험은 물레방앗간에서 떡 만들기, 내 꿀벌 갖기, 일일 농사꾼 되어보기가 있고, 전통놀이 체험에는 삼곶놀이 체험, 풍물캠프놀이 등이 있지요. 전통 배움 체험으로는 천연염색하기, 문화재답사와 남사 8경 탐방, 서당 체험, 전통혼례 체험, 향토음식 체험 등이 있습니다(부록 223쪽).

**지붕 위의 감나무** 화첩에 먹과 채색 20×33cm 2011

　이러한 남사예담촌을 중심으로 인근 지역의 역사문화를 탐방하는 발길이 꾸준히 이어지고 있습니다. 탐방 현장 곳곳에선 문화해설사들이 수고를 아끼지 않고 있지요(부록 221쪽).

　이처럼 나누며 함께 사는 일이 비단 사람 중심으로만 이뤄져서는 안 되겠지요. 사람과 자연, 모든 생명이 더불어 함께 살아야 합니다. 마을도 마찬가집니다. 사실 세상에서 '선택받은 아름다운 마을'이란 본시 없다고 했습니다. 따라서 마을 사람들이 지닌 긍지만큼이나 책임감도 뒤따라야 할 것입니다.

**돌담과 감나무**
한지에 수묵채색
89.5×60cm 20

인구 고령화로 인력이 부족하고, 홍보 안내원을 더 양성해야 하고, 방문객을 위한 편의시설도 여전히 모자랍니다. 나아가 한옥의 주거 환경을 개선해야 하고, 지원을 받는 방안도 모색해야 합니다. 고향을 위한 출향인의 관심과 귀농, 귀촌인들을 위한 배려 역시 절실합니다. 장수마을의 자랑과 함께 젊은이들이 상주할 수 있는 여건이 마련되어야 미래가 있습니다.

아름다운 마을 가꾸기는 이처럼 주민의 애정과 실천, 관계기관의 지원 아래 지속되어야 하겠지요. 그런 가운데 마을 사람들은 새 역사를 위해 씨를 뿌리는 일에 더욱 의욕을 가질 것입니다. 조선시대에 지리산 길목의 베이스캠프로 자리매김했던 마을이 다시 새날을 열어나갈 것입니다.

필자는 그 희망을 이야기하고자 합니다.

남사천에 날아드는 백로와 왜가리, 오리 가족을 보면서 건강한 산천에 함께 사는 고마움을 말합니다. 또 감나무를 베지 않고 지붕을 씌워 마치 지붕에서 감이 열리는 듯한 모습이나, 감나무 한 그루를 위해 담장을 돌려 쌓은 배려심과 미덕이 바로 '문화와 자연이 상생하는 길'이라고 여깁니다. 함께 살며 나누는 일이 아닌가 싶습니다.

지금 남사예담촌에 서설(瑞雪)이 내립니다. 담장 너머로 몇 개 남지 않은 홍시에 까치들이 날아듭니다. 옛사람들이 뭇 생명을 위해 다 따지 않고 남겨 놓았던 그 따뜻한 온정의 까치밥! 그 마음이면 됩니다.

그렇게 우리 모두가 함께 나누며 아름답고 평화롭게 살아갈 수 있기를 바랍니다.

**까치밥** 한지에 수묵채색 69.5×139cm 2011

남사예담촌 이야기
... 여섯

부록

■
■ ■

# 한국에서 가장 아름다운 마을 연합회

 '한국에서 가장 아름다운 마을 연합회(이하 한아연, 회장 최미경)'는 2011년 8월 16일 창립총회를 개최하고 한국에서 가장 아름다운 마을 제1호로 산청군 단성면 '남사예담촌'을 선정했다.

 한아연의 모체는 1982년 '가장 아름다운 마을 운동'으로 프랑스에서 시작되었으며, 이후 이탈리아, 벨기에, 캐나다, 일본 등으로 확산되면서 2010년 국제 조직인 '세계에서 가장 아름다운 마을 연합회'가 결성되었다. 이 조직은 각국의 작은 농촌 마을의 아름다운 경관과 문화유산을 전 세계에 알려 관광을 활성화하는 목적으로 설립됐다.

 한아연은 '한국에서 가장 아름다운 마을 제1호'로 선정된 남사예담촌을 여행 안내 책자에 소개함과 동시에 문화와 전통에 대한 보존과 홍보 활동에 앞장서 세계 연합가맹 마을 간 시찰과 교류 활성화를 위해 적극적인 연대를 펼쳐 나갈 계획이다. 현재 한아연은 사단법인으로 운영되고 있다.

The most beautiful

VILLAGES IN KOREA

한국에서 가장 아름다운 마을 상징 마크

### 이구산일출(尼丘山日出)

남사예담촌을 대표하는 아름다운 봉우리 이구산. 마을의 풍수지리상 용의 머리에 해당하는 곳이기도 합니다. 이구산에서 보는 일출은 남사마을의 고요한 아침에만 느낄 수 있는 큰 감동입니다.

### 사수청류(泗水清流)

천왕봉에서 발원하여 흐르는 맑은 물 사수천. 사수천은 물 빛깔이 이구산의 소나무가 그대로 비친 듯 푸르고 맑아서 그 강물을 보고 있노라면 마음까지 시원해지는 기분이 드는 곳입니다.

## 동수량음(洞藪凉陰)

유교문화의 대표적인 경관 가운데 하나로서 오랜 세월 동안 마을 사람들이 지켜온 청정한 숲의 시원한 바람과 푸른 나무그늘 밑의 여유와 정취를 함께 느낄 수 있는 곳입니다.

## 용소은린(龍沼銀鱗)

사수에서 북동쪽으로 굽이쳐 흐르는 우뚝 솟은 바위 밑의 깊고 푸른 곳에 용이 있었다는 전설이 내려져옵니다. 신비로운 전설이 살아 숨쉬고 있는 용소에서 어쩌면 아직도 있을지 모르는 용의 비늘처럼 은빛으로 반짝이는 물결을 직접 눈으로 확인해볼 수 있습니다.

## 전산풍엽(前山楓葉)

각종 활엽수들이 빽빽이 우거져 백호의 형상을 지닌 앞들 산에서는 가을이면 울긋불긋 나뭇잎이 햇살을 어지러이 흩날리며 멋진 경관을 연출합니다. 자연이 만든 화려한 풍경이 눈을 즐겁게 만듭니다.

**고암백월**(鼓岩白月)

이구산에서 돌이 떨어지면 밀양박씨 문중에서 벼슬이 나고 북바위에서 소리가 나면 성주이씨 문중에서 벼슬을 해왔다고 합니다. 상서로운 기운을 지닌 북바위에 내리는 하얀 달빛은 어디선가 들리는 듯한 북소리와 함께 오묘한 신비로움을 간직하고 있습니다.

**내현류지**(乃見溜池)

고고한 학문의 정취를 느낄 수 있는 조용한 내현재의 앞편에 자리잡은 작은 습지. 마음의 평온을 주는 자연의 아름다움에 맘껏 취할 수 있는 곳입니다.

**망추원경**(望楸遠景)

재실 아래쪽 추(楸)나무(가래나무)를 바라본다는 의미를 가진 밀양박씨 종가 재실입니다. 오랜 시간을 묵묵히 지켜온 느티나무와 향기로운 솔잎의 향기가 전해오는 적송림이 있고, 시원한 물이 솟아 나오는 샘과 연못 등 자연의 고즈넉함을 자랑하는 곳입니다.

## 주변 관광 (역사문화탐방)

### 천왕봉

천왕봉(1,915m)은 지리산 최고봉으로 남한에서 한라산 다음으로 높은 곳입니다. 거대한 암괴(巖塊)가 하늘을 떠받치는 형상을 하고 있어 '천주'란 별명이 있습니다. 지리산 제1경으로 꼽히는 아름다운 천왕봉 일출은 봉우리가 늘 구름에 싸여 있어 3대에 걸쳐 선행을 쌓아야 해돋이를 볼 수 있다는 말이 전해올 정도로 보기 어렵지만, 그 모습은 실로 일대장관입니다.

### 문익점 목면시배유지

문익점이 원나라 사신으로 갔다가 몰래 들여온 목화씨를 우리나라 최초로 재배한 곳으로 사적 제108호로 지정되어 보존하고 있습니다. 목면시배유지에는 지금도 조상의 일을 되새기기 위해 면화를 심어 가꾸고 있으며, 목면시배유지 전시관도 있습니다.

### 전구형왕릉

가락국의 마지막 왕인 제10대 구형왕의 능입니다. 우리나라에서는 보기 드문 피라미드 형태의 돌무덤으로 사적 제214호로 지정되어 있습니다. 1793년 구형왕과 왕비의 유물들을 보존하기 위해 지은 덕양전에서는 현재도 봄 가을에 추모제를 지냅니다.

### 대원사

산청군 삼장면 유평리 지리산 자락에 위치한 대원사는 대한불교조계종 제12교구 본사인 해인사에 속한 절로서 양산 석남사, 예산 견성암과 함께 우리나라의 대표적인 비구니 참선도량입니다. 비구니 스님들의 맑은 미소만큼 정갈하고 단아한 대원사는 세상에서 가장 아름다운 계곡과 보물 제1112호로 지정된 대원사 다층석탑을 간직하고 있습니다.

### 퇴옹당 성철대종사생가(겁외사)

현대 한국불교를 대표하는 선승으로서 '산은 산이요 물은 물이다'라는 말씀을 남긴 성철스님의 생가를 복원하고, 기념관과 동상, 겁외사(劫外寺)를 지어 스님의 철저한 수행과 무소유의 정신을 기리고 있습니다.

* 이밖에도 인근의 운리 단속사지 동·서삼층석탑, 덕산의 남명 조식 선생 유적지(산천재, 덕천서원) 등 역사와 전통, 문화의 숨결을 느낄 수 있는 곳이 많습니다.

### 서당 체험

하늘천~ 따지! 검을현~ 누르황! 이동서당(尼東書堂)에서 훈장님과 함께하는 천자문 공부와 가훈 쓰기 시간입니다.

### 전통 혼례식

전통고가 뜰에서 직접 해보는 전통 혼례 체험으로 혼례 당사자는 물론 구경하고 참여하는 이가 모두 한마음으로 즐기는 잔치마당입니다.

### 전통 물레방앗간 체험

몇 초면 곡식의 껍질을 쓱싹 벗기고 가는 현대식 방앗
간과는 달리 전통 물레방아를 이용해 정성들여 곡식
을 찧었던 옛날을 체험하고 직접 떡을 만들어서 맛볼
수 있습니다.

### 삼굿놀이

감자를 돌무덤에 넣은 후 불을 지펴서 구워먹는 놀이
로서 옛날에 삼을 삶아서 섬유를 얻는 작업에서 유래
되었습니다. 손과 볼 그리고 입에 검댕이를 묻혀가며
뜨거운 감자나 고구마를 먹는 알콩달콩한 재미를 즐
길 수 있습니다.

### 풍물 캠프파이어

예담촌 고유의 전통 풍물놀이와 함께하는 신나는 캠
프파이어! 댄스음악에 익숙한 현대인에게 우리 장단
의 새로운 매력을 선사하고, 어깨춤을 들썩이며 서로
어울리는 소중한 시간입니다.

## 선비나무 염색 체험

심기만 하면 집안에 훌륭한 인재가 난다는 회화나무의 열매는 염색제로도 활용도가 높습니다. 독한 염색약이 아닌 부드러운 자연의 숨결이 느껴지는 고운 색에 물드는 시간입니다.

## 일일 농사꾼

탐스러운 빨간 딸기가 어떻게 자라고 수확되는지, 토실토실 밤송이는 어떻게 생겼고 또 어떻게 까는 건지, 딱딱하고 떫기만한 땡감이 어떻게 뽀얀 분이 나는 달콤한 곶감으로 변하는지를 눈으로 확인하고, 농부들의 땀과 노력을 직접 몸으로 느껴보는 체험입니다.

## 내 꿀벌 갖기

신선한 자연의 달콤함을 간직한 천연 벌꿀을 따면서 따스한 농촌의 인정도 함께 맛보는 시간입니다.

# 南沙里 沿革碑文(남사리 연혁비문)

　　天王峯(천왕봉)이 蜿蜒(완연)이 뻗어내려 尼丘山(이구산)이 屹立(흘립)하고 尼山(이산)에 어린 精氣左右脈(정기좌우맥)이 包藏(포장)하여 南沙盆地結局(남사분지결국)하니, 靑龍(청룡) 아래 泗水銀波(사수은파)는 沙月(사월) 南沙(남사) 境界(경계)지어, 東南(동남)으로 구비침에, 兩岸(양안)엔 人家(인가)가 密集(밀집)하여, 二百戶(이백호) 大村(대촌)이 形成(형성)되고, 그 派流(파류)는 뒷들, 앞들, 양천들을 灌漑(관개)하여 五穀(오곡)이 豊饒(풍요)하며, 멀리서 鏡湖江(경호강)이 에워싸 白虎(백호) 등 앞들산에 茂林(무림)이 昭森(소삼)하고, 위 아래에는 鳶魚(연어)가 한가롭게 生(생)을 즐기며, 江岸(강안)의 碧苔(벽태) 香草(향초) 窓外(창외)에서 芬芳(분방)하니, 어찌 하늘이 내린 樂地(낙지)가 아니겠는가?

　　古人(고인)에 이르기를 尼山(이산)에는 神仙(신선)있어 神秘(신비)롭고 泗水(사수)에는 龍沼(용소) 있어 神靈(신령)하다 하였거늘, 七百年(칠백년) 前(전)에 鄭隅谷(정우곡) 先生(선생)은 尼山(이산)과 鼓岩(고암)의 神妙(신묘)함을 先見(선견)한 바 있다.

　　이같이 不可思議(불가사의)한 일은 不知者(부지자)로 더불어 論(논)하기 어려우니, 麗朝(여조) 이래로 本里(본리)에서 輩出(배출)한 大小科(대소과)가 三十(삼십) 位(위)에 달할 뿐만 아니라, 光復(광복) 后(후)에도 國會議員(국회의원), 將星(장성), 國樂院長(국악원장), 그리고 判, 檢事(판, 검사) 博士(박사) 等(등) 高官(고관)이 續出(속출)하니 이에서, 自然(자연)의 深奧(심오)한 造化(조화)를 다시 한 번 깨닫게 된다.

어찌 盛(성)하지 아니한가. 저 瀏瀏(유유)한 泗水(사수)는 구비마다 名所(명소)를 繡(수)놓아 鼓巖(고암) 龍沼(용소) 雙大石(쌍대석) 書齋(서재)골, 五龍(오룡)골에는, 至今(지금)토록 傳說(전설)이 多彩(다채)롭고, 長久(장구)한 儒敎文化(유교문화)의 象徵(상징)인 亭齋(정재)는 眼前(안전)에 兀然(올연)하여 江北(강북)에는 密陽朴氏(밀양박씨)의 望楸亭(망추정), 尼泗齋(이사재)와 星州李氏(성주이씨)의 采南亭(채남정), 乃見齋(내현재), 草浦精舍(초포정사) 그리고 尼東書堂(이동서당)이 列立(열립)하여 隆棟瓦屋(융동와옥)에 古色(고색)이 燦然(찬연)하고, 江南(강남)에는 李氏(이씨)의 景武公(경무공) 不祧廟(부조묘)와 永慕齋(영모재), 思孝齋(사효재), 南湖精舍(남호정사), 孝子旌閭(효자정려)와 朴氏(박씨)의 三白軒(삼백헌), 迎日鄭氏(영일정씨)의 泗陽精舍(사양정사) 三華齋(삼화재)가 羅列(나열)하고, 李忠武公(이충무공) 白衣從軍(백의종군) 時(시) 松月堂(송월당) 公(공) 好元(호원) 農幕(농막)에서 留宿(유숙)한 史實(사실)이 있어, 幽深(유심)한 古氣(고기)에 遺芳(유방)이 藹然(애연)하다.

文化財(문화재)는 景武公(경무공) 敎書(교서)가 寶物(보물)로 指定(지정)되었고, 星州李氏古家(성주이씨고가), 全州崔氏古家(전주최씨고가), 尼泗齋(이사재), 尼東書堂(이동서당)은 地方(지방) 文化財(문화재)다.

大抵(대저) 沙月(사월)과 南沙(남사)는 옛부터 丹城(단성)과 晉州(진주)로 나뉘어졌으니, 合(합)하여 餘沙(여사)라 稱(칭)하였다. 社屋(사옥) 五年(오년) 丹城(단성)으로 固定(고정)된 뒤에도 現在(현재)까지 두 마을로 區分(구분)되나, 高麗(고려)부터 하나의 生活圈(생활권)을 形成(형성)하고 貧富(빈부)를 超越(초월)하여 같은 鄕約(향약)으로 同一(동일)한 風俗(풍속)을 가꾸었고, 같은 山(산)에 先山(선산) 드려 代代(대대)로 守護(수호)하며 같은 들에 農事(농사)짓고 같은 샘물 마시면서, 바람비 같이 겪되, 家族(가족)처럼 多情(다정)하니, 저 一陵一谷(일능일곡)에서 一木一石(일목일석)에 이르기까지, 先人(선인)의 얼이 숨쉬고 있다.

이에 居(거)하는 이 어찌 一瞬(일순)인들 無心(무심)할 수 있겠는가?

그러므로 竪(수) 碑(비)에 즈음하여 두 마을을 並記(병기)하지 않고, 南沙里沿革碑(남사리연혁비)로 標題(표제)한 所以(소이)가 바로 여기에 있다. 무릇 人傑(인걸)은 地靈(지령)이라, 自來(자래)로 山川(산천)이 秀麗(수려)하고 平野(평야)가 肥沃(비옥)하면 住民(주민) 또한 淳雅(순아)하여 人才(인재)가 挺出(정출)하고 나라와 地方(지방) 爲(위)해 奉仕(봉사)하여 그 惠澤(혜택)을 庶民(서민)에게 베푸나니 南沙(남사)의 地靈(지령)은 眞實(진실)로 他地(타지)에 比(비)할 바가 아니다.

따라서 人傑(인걸) 또한 世人(세인)의 想像(상상)을 뒤엎는다. 文化(문화)는 元來(원래) 自成(자성)하는 것이 아니라 사람이 造成(조성)한다. 이에 泗水(사수) 文化(문화)를 가꾼 賢人(현인)을 들추어 보면, 麗朝(여조)에 尹(윤) 王妃(왕비)가 났으며 麗末(여말)의 晉陽河氏(진양하씨) 元正公(원정공) 楫(즙)은 晉川君(진천군)이고, 子(자) 苦軒允源(고헌윤원)은 晉山君(진산군)이며, 子(자) 木翁自宗(목옹자종)은 兵部尙書(병부상서)이고, 子(자) 文孝公(문효공) 演(연)은 領議政(영의정)이며, 아우 大司諫潔(대사간결)이 井邑(정읍)으로 떠난지 二百年(이백년) 뒤 仁祖朝(인조조)에 后孫(후손) 台溪溍(태계진)이 來住(내주)하여 世居(세거)하였으니, 韓末(한말)의 江界府使(강계부사) 思軒(사헌) 兼洛(겸락)과 巨濟(거제) 府使(부사)

承落連山縣監(승락연산현감) 錫洛(석락)은 西班(서반)의 中樞(중추)요 今日(금일)까지 猶存(유존)하는 梅花(매화) 한 그루는 元正公(원정공) 手植(수식)으로 傳(전)하며, 감나무 한 그루는 文孝公(문효공) 手植(수식)으로 傳來(전래)한다. 또한 襄靖公(양정공) 敬復(경복)의 後孫(후손)이 來住(래주)하였다.

晉州姜氏(진주강씨) 恭穆公(공목공) 著(시)는 元正公(원정공) 女婿(여서)로 이곳에 始居(시거)하여 子(자) 通亭(통정) 淮伯(회백)과 通溪(통계) 淮仲(회중)을 낳았고, 后(후)에 寒溪(한계) 學濬(학준)은 文科(문과) 出身(출신)이다.

星州(성주) 李氏(이씨)는 開國(개국) 元勳(원훈) 景武公(경무공)의 孫(손) 司直(사직) 叔淳(숙순)이 端宗(단종) 遜位(손위) 時(시)에 龍仁(용인)에서 南下(남하)한 뒤, 梅月堂(매월당) 賀生(하생)의 孝行(효행)과 南溪(남계) 甲龍(갑용) 南皐(남고) 志容(지용) 訥窩(눌와) 賢黙(현묵) 尼村(이촌) 佑伯(우백) 및 子(자) 正言(정언) 宅臣(택신) 諸公(제공)이 文科(문과) 出身(출신)으로 文行(문행)이 드러났고 參判(참판) 芬國(분국) 縣監(현감) 胤杰(윤걸) 五衛將存烈(오위장존열)은 武科(무과) 出身(출신)이며, 月浦(월포) 佑斌(우빈) 龍湖道勉(용호도면)은 進士(진사)이고, 密陽(밀양) 朴氏(박씨)는 明宣朝(명선조)의 判書(판서) 松月堂(송월당) 公(공) 好元(호원)이 先妣(선비) 貞敬(정경) 夫人(부인) 黃氏(황씨)를 尼丘山(이구산)에 葬(장)하고 望楸亭(망추정)을 지은 後(후)에 義谷(의곡) 鼎賢(정현) 義村(의촌) 安悌(안제) 月菴(월암) 在冀(재기) 餘紗(여사) 在皡(재호) 二安亭(이안정) 公鎭(공진) 諸公(제공)이 文科(문과) 出身(출신)이며, 尼溪(이계) 來晉(내오)는 文望(문망)이 높았고, 孝宗(효종) 時(시)의 世翊(세익)은 武科(무과) 出身(출신)이며, 長水(장수) 黃氏(황씨) 縣監(현감) 晙(준)은 生員(생원)이고 密陽(밀양) 孫氏(손씨)는 生員(생원) 梧谷公(오곡공) 壽齡(수령)이 八龍(팔룡)을 두었고, 그 后(후) 佐郎爚(좌랑약)이 五龍

(오룡)을 두어 그 넷째 參議(참의) 景智(경지)가 仁祖朝(인조조)에 來住(내주)하니 五龍說(오룡설)에 相通(상통)한다.

坡平(파평) 尹(윤)씨는 吏曹(이조) 判書(판서) 公(공) 璞(박)의 遺蹟(유적)이 있고, 迎日(영일) 鄭氏(정씨)는 雪谷公(설곡공) 保(보)의 後孫(후손)이 來住(래주)하였다.

아, 아! 西山(서산)의 落照(낙조)는 中天(중천)의 日光(일광)보다 鮮明(선명)하니 五百年(오백년) 宗社(종사)의 終末(종말)에 즈음하여 어찌 그 兆朕(조짐)이 없겠는가. 韓末(한말)의 巨儒(거유) 郭俛宇(곽면우) 先生(선생)은 草浦(초포)에서 태어나 그 命世之才(명세지재)로 東邦(동방) 儒學(유학)을 集大成(집대성)하고, 社屋(사옥) 己未(기미)에는 全國(전국) 儒林(유림) 代表(대표)를 倡率(창솔)하여 바야흐로 開催(개최) 中(중)인 巴里平和會議(파리평화회의)에 獨立(독립)을 請願(청원)하니, 이때 先生(선생)과 함께 義擧(의거)한 同志(동지)는 進士(진사) 朴(박) 沙村(사촌) 圭浩(규호)와 僉使(첨사) 河(하) 約軒(약헌) 龍濟(용제) 二公(이공)이고 先生(선생)과 志同道同(지동도동)한 名士(명사)는 李(이) 南川(남천) 道黙(도묵) 李(이) 月淵(월연) 道樞(도추) 李(이) 庸齋(용재) 道容(도용) 鄭(정) 溪齋(계재) 濟鎔(제용) 崔(최) 月岡(월강) 琁模(정모) 河(하) 濟南(제남) 經洛(경락) 李(이) 參奉(참봉) 槐堂(괴당) 炳坤(병곤) 等(등) 諸公(제공)이다.

또 己未年(기미년) 萬歲(만세) 隊列(대열)에 奔參(분참)하여 獨立(독립)을 叫號(규호)하다가 쓰러진 李翊相(이익상) 金千錫(김천석) 宋季俊(송계준)의 英靈(영령)을 잊어서는 안 되겠다.

위에 나타난 姓氏(성씨) 외에도 載寧(재령) 李氏(이씨), 陜川(합천) 李氏(이씨), 晉陽(진양) 鄭氏(정씨), 碧珍(벽진) 李氏(이씨), 金海(김해) 金氏(김씨), 慶州(경주)

金氏(김씨), 全州(전주) 李氏(이씨), 光山(광산) 金氏(김씨), 靈山(영산) 辛氏(신씨), 咸陽(함양) 吳氏(오씨), 淸州(청주) 韓氏(한씨), 靑松(청송) 沈氏(심씨), 豊川(풍천) 盧氏(노씨), 仁同(인동) 張氏(장씨), 長興(장흥) 高氏(고씨), 南原(남원) 梁氏(양씨), 海州(해주) 吳氏(오씨), 金海(김해) 許氏(허씨), 慶州(경주) 鄭氏(정씨), 竹山(죽산) 朴氏(박씨) 等(등) 姓氏(성씨)가 各其(각기) 世居(세거)하여 生(생)을 즐긴다.

아, 아! 倫常(윤상)이 衰(쇠)하고 道義(도의)가 滅(멸)한 今日(금일)에 즈음하여 住民(주민)이 一體(일체)되어 傳統(전통)에 빛나는 南沙(남사)의 沿革(연혁)을 後來(후래)에게 길이 傳(전)하고자 이 豊碑(풍비)를 꾀하니 참으로 今世(금세)에 드문 일이다.

檀紀 四千三百三十七年 甲申(갑신) 榴花節(유화절)에

朔寧(삭령) 崔寅巑(최인찬) 撰(찬)

# 성주이씨 흥안군 경무공 제(興安君 景武公 濟)

공(公)의 이름은 제(濟), 자는 자안(子安)이며, 가문은 고려말 대표적인 권문세가인 성주이씨로 공(公)의 증조할아버지가 정당문학 문열공 이조년(李兆年)이며, 둘째 큰아버지가 광평부원군 좌시중 이인임(李仁任), 아버지는 밀직부사(密直副司) 진현관 대제학(進賢館 大提學) 모은공(慕隱公) 이인입(李仁立)입니다. 잠깐, 너무나 유명한 공(公)의 증조부인 시조 시인 이조년(李兆年)의 다정가(多情哥)를 한 번 읊어 보겠습니다.

> 이화(梨花)에 월백(月白)하고 은한(銀漢)이 삼경(三更)일제
> 일지춘심(一枝春心)을 자규(子規)야 알랴마는
> 다정(多情)도 병인(病) 양하여 잠 못 들어 하노라

공(公)은 공민왕 14년(1365)에 고령 상국촌에서 태어났습니다. 성품이 맑고 꿋꿋하며 귀족답지 않게 겸손하고 검소하였습니다. 이성계가 공의 성품을 사랑하고 가문의 기품을 높이 평가하여 사위를 삼았다고 합니다. 벼슬에 나아가 일찍이 좌대언(左代言, 고려 때 밀직사의 정3품)이 되고 밀직제학(密直提學)으로 연저수공신(燕邸隨功臣) 일등에 봉해졌습니다.

공(公)은 태조 이성계와 신덕왕후 사이의 맏딸인 경순궁주(敬順宮主)와 결혼하여 부마(駙馬, 임금의 사위)가 되었고, 1392년 조선의 건국을 도와 대의에 앞장섰으므로 1등 공신이 되면서 순충좌명개국공신(純忠佐命開國功臣) 흥안군(興安君) 겸 의흥친군위절제사(義興親軍衛節制使) 지서연사(知書筵事)가 되었다가 다음해인 태조 2년 우군절제사(右軍節制使, 지금의 2군사령관)에 올라 경상도로 파견되어 왜구의 침범을 방비하는 등 개국 초 나라의 기반을 닦는 데 크게 기여하였습니다.

태조 이성계는 왕위에 오른 뒤 국기를 튼튼히 하기 위해 유능한 선비를 등용함에 있어, 관직을 버리고 진주시 사봉면에 내려와 은거하고 있는 고려조 대사헌을 지낸 우곡 정온(隅谷 鄭溫)에게 공(公)을 사신으로 보내, 새 조정에 출사할 것을 권하였으나, 그는 공(公)에게, 청맹(青盲, 당달봉사)이라 벼슬에 나갈 수 없다고 거절한 후 마당에 늘어 놓은 곡식을 쪼고 있는 닭을 보고 무심결에 "훠이, 훠이" 했답니다.

이에 공(公)은 솔잎을 따서 우곡의 눈을 찌르는 시늉을 하였으나, 우곡은 미동도 하지 않았고, 결국 공(公)은 우곡이 거짓 청맹 행세를 하는 줄 알면서도 그 충정이 가상하여 이 태조에게는 정온이 이미 맹인이 되어 출사가 불가함을 보고하여 그의 목숨을 구했으며, 다음과 같은 시를 지어 우곡의 충절을 칭송하였습니다.

불사이군(不事二君), 증(贈) 정우곡 온(鄭隅谷 溫)

漆身遺意託青盲 칠신유의탁청맹
取捨中間烈以霜 취사중간열이상
松葉豈能撓確節 송엽기능요확절
令名千載日爭光 영명천재일쟁광

더럽혀진 몸에 뜻을 버린 맹인인 양해도
취하고 버리는 것이 올곧은 서릿발 같네
솔잎으로 찌른들 어찌 그 절개를 꺾으랴
그 명성은 천년을 두고 태양처럼 빛나리


우곡 정온 선생의 후손들은 아직도 이 시를 간직하고 있으며, 경무공 이제의 후손들에게 늘 감사하는 마음을 갖고 있다고 합니다.

조선왕조실록에는 '태조 이성계가 세자를 책봉할 때 공(公)을 불러 의견을 물었으나, "공(公)은 전하가 하실 일"이라면서 진언을 사양하였다.'고 합니다. 그러나 측근들의 진언으로 나이 어린 방석(芳碩)을 세자로 책봉하였는데 이에 불만을 품은 정안군 이방원(李芳遠)이 난을 일으켜(1차 왕자의 난) 태조가 계신 청량전(淸涼殿)을 범하였을 때 공(公)은 태조의 곁에 시립하고 있다가 임금에게 아뢰기를 "여러 왕자들이 군사를 일으켜 함께 남은 등을 목 베었으니, 시위하는 군사를 거느리고 나가서 공격하겠습니다."라고 말하자 임금은 "걱정하지 말아라. 화(禍)가 어찌 너에게 미치겠는가?" 이화(李和)도 또한 말리며 "내부에서 일어난 일이니 서로 싸울 필요가 없다." 말하자, 이에 공(公)은 칼을 빼어 노려보기를 두세 번 하다 하는 수 없이 칼을 거두고 저녁에 사제(私第)로 돌아가니, 공주(公主)가 공(公)에게 이르기를 "내가 공(公)과 함께 정안군의 사저(私邸)에 간다면 반드시 살게 될 것입니다." 하였으나 공(公)은 정색을 하고 "군부가 환란 중에 있거늘, 신하의 도리로 어찌 살기를 바라리오." 하며 뒤따라 온 군사들에게 목숨을 잃게 되었습니다. 태조 7년(1398년) 8월 27일의 일이었습니다.

공(公)이 죽임을 당한 뒤 부인 경순공주의 운명도 순탄하게 흘러가지 못했습니다. 공주는 어머니 신덕왕후를 여읜 지 2년 만에 남편과 두 동생을 잃었고, 태조의 명으로 1년 후 승려가 되었습니다.

아마도 태조가 눈에 넣어도 아프지 않은 딸에게 승려가 되기를 명한 것은, 사랑하는 남편과 두 동생을 잃은 슬픔에 잠긴 딸에게 속세의 상처를 치유해 줄 수 있는 길이 오직 부처님께 귀의하도록 하는 것 밖에 없다고 생각했을지도 모르겠습니다.

그 후 공(公)은 세종 3년에 공(公)의 아우인 평간공(平簡公) 발(發)이 상왕인 태종에게 주창하여 신원(伸寃)되었으며, 태종은 경무(큰 계책에 뜻을 둔 것을 경(景)이라 하고 환란을 능히 평정한 것을 무(武)라 한 것이다)라는 시호와 함께 불천위(不遷位) 부조묘(不祧廟, 나라에 큰 공훈이 있는 사람을 영구히 제사 지내게 하는 사당)를 세워, 전토 160결과 노비 아울러 20명을 주고 적장(嫡長)의 예에 따라 제사 지내게 했으며, 태조묘정(태조의 신위를 모시는 종묘)에 배향(配享)하게 되었습니다.

### 이제개국공신교서(李濟開國功臣敎書 국보 제324호)

'이제개국공신교서'는 1392년 조선의 건국을 도와 대의에 앞장섰던 배극렴, 조준, 정도전 등과 함께 1등 공신 16명에게 내려진 왕명의 문서이며, 현존하는 유일의 조선개국공신교서로서 조선 개국 초 왕명문서의 첫 사례로 주목되고 있을 뿐만 아니라, 고려말 명나라에서 보내온 '고려국왕지인'이라는 어보가 조선 초 문서에 사용된 유일한 사례로 주목되며, 조선초 공신교서의 장황(裝潢)에 대해 살펴볼 수 있는 중요한 자료로 역사적, 학술적, 서예사, 문화적 가치가 높다는 평가를 받고 있습니다.

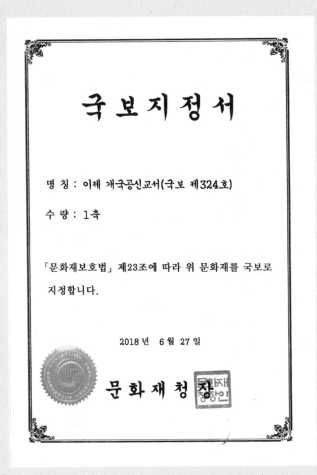

국 보 지 정 서

명 칭 : 이제 개국공신교서(국보 제324호)

수 량 : 1축

「문화재보호법」 제23조에 따라 위 문화재를 국보로
지정합니다.

2018 년  6 월 27 일

문 화 재 청 장

이제개국공신교서 국보지정서

　　이제개국공신교서는 왕명문서이고, 녹권은 관문서인데 위계상 하위에 해당하
는 개국원종공신녹권(국보 제29호)보다 5년이나 앞선 것이며, 태조가 공(公)의 가
문을 극찬하고 공의 어진 성품과 풍채, 당당한 의논, 충성의 기상으로 개국에 기여
한 공적을 크게 치하하며 가족들에게 내리는 벼슬과 국록 및 하사품 등을 명시하

고 있습니다.

이 교서는 조선개국 원년인 1392년에 내린 것으로 1999년 보물 제1294호로 지정되었고, 경무공 종손 종한(宗漢)이 보관해 오다가 2013년 분실, 도난, 훼손 우려 및 학술 연구 자료로 활용함이 가하다는 판단으로 국립진주박물관에 기탁(寄託)하였고, 이번에 오랜 문중의 숙원인 국보 제324호(2018. 6. 27)로 승격, 지정되었습니다.

공신교서의 내용은 대략 다음과 같습니다.

예로부터 왕자들의 혁명은 하늘의 명령에 따르고 인심의 흐름에 순응하는 것이어서, 그때마다 반드시 위인들 가운데 보필하는 자가 있었다. 은의 탕왕이 걸을 쳐서 천하를 통일할 때는 이윤(伊尹)이 이를 도왔고, 주의 무왕 때는 태공이 있었다.

대대로 착한 일을 향하여 덕을 쌓은 집안에서 태어난 경은 벼슬이 매우 높았으나 항상 겸손한 마음을 간직하였고, 늠름한 풍채는 간사한 무리들의 간담을 떨게 하였으며, 당당한 의논은 사직의 융성함을 도울 만하고 충의의 기상은 가을 색과 그 붉음을 다툴 만하다.

고려의 말기에 이르러 요사한 신돈이 왕위를 훔쳐 16년이 되었을 때 나와 몇몇 대신들이 바로 잡으려 하였으나 민심이 이미 이를 허락하지 않았다.

천명은 덕이 있는 곳으로 돌아가고 민심 또한 어진 곳을 찾았는데, 경이 하늘과 인간의 뜻을 살피고 문하시중 배극렴, 문하시중 조준 등 대신들과 더불어 지성으로 큰 뜻을 결정하여 짐을 추대하였다.

이제 대업을 이룩하여 나라가 태산과 같이 정돈되니 그 공로가 크도다.

여러 차례 작위를 높였으나 내 마음에 만족스럽지 못하고 미흡하기만 하여 토지와 전답을 대대로 녹으로 내리고, 경의 초상화를 그려서 공적을 치하하는 바이다.

경의 어머니를 혜녕옹주(惠寧翁主)에 봉하고 경의 아내를 경순공주에 명하고 삼세(三世)에 걸쳐 작위를 추증하며 자손들에게 혹 죄가 있더라도 이를 사하리라.

지금 금으로 만든 띠 하나와 단자(緞子) 두 필, 견자(絹子) 일곱 필을 보내니 받아두도록 하라.

# 영일정씨 계재 정제용(溪齋 鄭濟鎔)

　　산청군 단성면 남사마을에 사양정사(泗陽精舍)가 있다. 마을 가운데를 흐르는 냇물이 사수(泗水)인데, 사수 남쪽에 있는 집이라는 뜻이다. 이 정사의 주인은 계재(溪齋) 정제용(鄭濟鎔)으로, 그는 생전에 삼장면 석남촌에 '존도재(尊道齋)'라는 집을 짓고 학문에 정진했는데, 손자 정종화(鄭鍾和)가 이곳으로 옮겨 확장을 하면서 '사양정사'로 이름 붙인 것이다.

　　계재 정제용은 영일(迎日)정씨로 고려 충신 포은 정몽주의 후손이다. 포은의 손자인 설곡(雪谷) 보(保)가 세조 때 한명회의 미움을 사서 사형을 당하려다 충신의 후예이기 때문에 사형을 면하고 단성으로 내려와 살았다. 이후 합천으로 옮겼다가 학포 정원이 진주로 이주하면서 정착하게 되었다.

　　계재의 선조 학포는 1588년 합천에서 출생하여, 문장과 덕행으로 이름이 전국에 널리 알려졌다. 광해군(光海君)의 폭정에 휩쓸리기 싫어 합천에서 대평(大坪)으로 옮겨와 이곳에 정자를 지어 고산정이라 하고 은거생활을 하였다. 인조(仁祖) 때 조정에서 조봉대부(朝奉大夫) 영산현감(靈山縣監)으로 천거하였으나 고사하고 이곳에서 여생을 보낸 선비이다.

　　계재는 1865년 진주 덕산동 석남리에서 가헌(稼軒) 석기(碩基)의 아들로 태어났다. 가헌공은 효행으로 동몽교관에 증직되기도 했다. 계재가 태어난 석남리는 현재 산청군 삼장면 석남리로 대원사 근처 마을이다. 어릴 때부터 일반 아이들과 어울려 놀기를 좋아하지 않았으며 진귀한 과일을 얻으면 반드시 부모에게 드리고 나머지는 여러 사람에게 나누어 주었다. 자기가 먹는 법이 없었다.

7세에 모친을 여의고 부친의 엄격한 가르침을 잘 따랐으며, 부친이 병이 들었을 때는 2년 동안 시중하며 한시도 곁을 떠나지 않았으며 상을 당했을 때는 한결같이 주자가례를 따랐다.

아침 저녁으로 단정히 앉아 중용 맹자 등을 독서하는 것으로 일상을 삼았으며, 집 근처 경치 좋은 곳에 존도재(尊道齋)를 지어 학문에 정진하였다. 이 존도재가 지금 남사의 사양정사의 전신이라고 할 수 있다.

'존도'는『중용』의 '존덕성이도문학(尊德性而道問學)'이란 구절에서 따온 것으로 "군자는 덕성을 높이고 학문을 말미암는 것"이란 뜻이다. 군자가 가야 할 길을 제시한 것이다. 광대함을 지극히 하고 정미함을 다하며 고명함을 다하고 중용을 따르며 옛 것을 잊지 않고 새로운 것을 알며 후함을 돈독히 하고 예를 높여야 군자의 길이라고 할 수 있는 것이다.

계재의 학문의 지향점이 곧 군자 되는 곳에 있다는 것을 알 수 있다. 계재는 일찍이 정자 아래에 매화 한 그루를 심고 스스로 '매암거사(梅菴居士)'라고 불렀다. 후에 꿈속에서 퇴계(退溪)와 회재(晦齋) 선생을 모시고 강론을 열심히 하고 깨어보니 '활발진원(活潑眞源)'이란 네 글자가 생생히 기억에 남았다고 한다. 그래서 자신의 호를 퇴계의 '계(溪)'자와 회재의 '재(齋)'자를 따서 '계재'라고 지어 두 선생을 받들고 따르겠다는 다짐을 한 것이다.

계재는 후산 허유에게서 학문을 배웠다. 후산이 세상을 떠난 후에는 면우 곽종석을 찾아가 못다한 학문에 정진했다. 교유한 선비로는 계남 최숙민, 물천 김진호, 노백헌 정재규, 복암 조원순 등이었는데, 계남과 복암에게서 학문에 관한 질정을 많이 했다.

1898년에 후산 허유를 따라 청곡사에 수개월 동안 머물면서 '남명 선생 문집 중간'의 일을 도왔다. 이때 강우 지역의 많은 선비들을 만나 학문에 관한 질정을 했다. 또 남사에서는 이 지역 선비들이 '향음주례'를 행할 때 면우 곽종석을 배알했다. 1900년 여름에는 애산 정재규, 계남 최숙민, 우산 한유, 송산 권재규 등과 대원사에서 모임을 가지고 '근사록'을 읽었다.

계새는 조상을 섬기는 정성이 남달랐다. 우선 포은 선조의 연보를 알기 쉽게 별책으로 묶는 데 많은 공을 기울였다. 포은 연보는 서애 유성룡이 만들었는데, 다소 소략한 부분이 있었다. 1898년 계재는 부친의 명에 따라 연보를 증보해 별책으로 묶은 것이다. 학포 선조 연보 역시 계재가 주도적으로 만들었다. 하지만 문집이 완성되지 못한 까닭에 책으로 나오지 못해 안타깝게 생각을 했다. 뿐만 아니라 회봉 등 선비들과 '주자어류'를 중간하면서 1년 동안 시종일관 이 일에 참여를 했다.

1901년에는 백곡의 구산촌으로 옮겨 구산서당을 짓고 기거를 하면서 약헌 하용제, 백촌 하봉수, 우산 한유, 회봉 하겸진 등 벗들을 모아 시사(詩社)를 결성하기도 했다. 2년 후인 1905년 을사늑약으로 면우 선생이 일경에게 체포되자 서울로 올라가 부당성을 널리 알렸으며, 이어 대계 이승희가 감옥에 갇히자 탄식하면서 말하기를 "천하의 의리가 다 없어졌구나."라고 했다.

1906년 가을 학포 선조의 고산정이 화재를 만났다. 계재는 여러 집안 사람들과 의논하여 이듬해 봄에 중건을 하고 기문과 상량문을 지어 학포의 학덕을 기렸다. 뿐만 아니라 산천재, 세심정 등 남명 선생의 유적지를 모두 중수하여 낙성을 시키는 데 주도적인 역할을 했으니 조상과 지역의 선현들을 숭모하는 마음이 남달랐다는 것을 알 수 있다.

계재는 명리(名利)를 구하지 않았다. 학문에 정진하면서도 새로운 학설을 말하기보다 옛 선현들이 남긴 가르침을 충실히 따르고자 했다. 퇴계 선생의 가르침을 따르기를 좋아했다. 일찍이 말하기를 "주자를 배우고자 하면 퇴계를 따라야 한다."고 주장하기도 했다.

병석에 눕자 자제들을 불러놓고 "몸을 단정히 하는 것이 학문하는 뜻"이라 가르치고, 이어 "머리를 동쪽으로 하라."고 하면서 세상을 떠나니 향년 43세였다.

기자가 사양정사를 방문했을 때 존도재, 구산서실의 현판이 그대로 걸려 있었다. 계재의 학문 정진의 길을 보는 것 같았다. 덕산에서 백촌으로 옮겨와 당파를 초월해 지역 선비들과 학문을 논했던 계재의 모습이 눈앞에 선하다.

• 자료 출처: 경남일보 254호(2007. 9. 14) 기획특집 '강우유맥'_강동욱 기자

**진양하씨** 원정공 하즙(元正公 河楫)

역문(譯文)

선생의 휘는 즙(楫)이요, 자는 득제(得濟)인데, 1303년에 진주의 이구산(尼丘山) 밑 여사촌(餘沙村, 오늘의 남사)에서 나시었다.

1321년에 천거로 판도좌랑(版圖佐郞)이 되시고 삼사(三司)의 판관(判官)을 역임하셨으며 1324년에 진사(進士)를 거쳐 문과의 갑과(甲科)에 3등으로 급제하시었다. 1347년에 원제(元帝)가 정치관(整治官)을 두어 권세 있는 간신(奸臣)과 나라를 어지럽히고 백성을 해치는 무리들을 다스리게 하여 계림군공(鷄林郡公) 왕후(王煦)와 좌정승(佐政丞) 김영돈(金永旽) 등에게 제도(諸道)의 안렴사(按廉使)를 겸하게 하여 토지를 조사시켜 억울함을 면하도록 하게 할 때 선생이 역시 대관(臺官)으로 참여하시었다.

이에 기황후(奇皇后)의 족제(族弟)인 기삼만(奇三萬)이 권세를 믿어 행악(行惡)하고 백성의 토지를 함부로 빼앗은 죄를 선생께서 먼저 들추어 이를 매질하고 하옥하여 죽게 하시니 그 집에서 황후에게 호소하였으므로 원제(元帝)가 듣고 크게 성내어 직성사인(直省舍人) 승가노(僧家奴)를 보내어 정치관(整治官) 백문보(白文寶), 신군평(申君平), 전성안(全成安)과 선생 그리고 남궁민(南宮敏), 조신옥

(趙臣玉), 김달상(金達祥), 노중부(盧仲孚), 이천백(李天伯), 허식(許湜), 이승윤(李承閏), 안극인(安克仁), 정광도(鄭光度), 오경(吳璟), 서호(徐浩), 전녹생(田綠生)을 매질하고 오직 안축(安軸), 왕후(王煦)는 황제의 전지(傳旨)로 용서하고 판밀직(判密直) 김광철(金光轍), 대호군(大護軍) 이원구(李元具)는 병 때문에 면하게 하였다.

서해도(西海道, 황해도) 안렴사이시었을 때 아드님 윤원(允源)께서 교주도(交州道, 강원도) 안렴사가 되시니, 시를 보내어 이르시되 "아들은 교주의 안렴사요, 아비는 서해의 안렴사니, 이런 일 예로부터 드문 일이라. 성은이 한 집안에 편중하니, 뜨거운 보국 정성 날로 더욱 더 생기네." 하시었고, 또 아드님께서 강주 원수(江州元帥) 되셨을 때 시를 보내어 이르시되, "북쪽 변방 어지럽고 관동지방 차가우니, 남아 절개 굳게 지켜 이 나라를 도울지라." 하시었다.

손자이신 자종(自宗)께서 풍천 군사(豊川郡事) 되셨을 때 선생께서 시를 보내어 이르시되, "서해도의 풍속 지리 내 옛날 보았는데, 산 높고 물 맑은 곳 인심 또한 순박더라. 오늘은 내가 새로 태수 되어 부임하니, 삼가 네 양친을 욕되게 하지 말라." 하시고, 또 중국으로 사신 가실 때 선생께서 시를 보내어 이르시되, "중국 가는 내 손자 울면서 보내니, 돌아오는 길 풀은 푸르고 절기는 청명 때이네. 내 나이 칠십 넘어 다시 보기 어려우리니, 만리 길을 무사히 다녀오기 바랄 뿐" 하시었다.

1361년 4월 5일에 봉익대부(奉翊大夫)로서 경주부윤(慶州府尹)이 되시어 23일에 부임하시고, 1372년 정월 20일에 왕명을 받아 상경하시어 문하찬성사(門下贊成事)에 임명되시고, 1377년에 수충좌리공신 중대광보국숭록대부 진천 부원군(輸忠佐理功臣重大匡輔國崇祿大夫晋川府院君)에 봉해지셨다.

그 후 송악(松岳)의 작은 멧부리 옆에 집을 지어 사시었고, 그 동쪽에 몇 간 집을 지어 '송헌(松軒)'이라 이름하셨다. 그 구조는 정연하지 않으나 정남(正南)을 향하였기로 겨울엔 다습고 여름에는 서늘하며, 소나무와 대나무가 심기어 족히 깊은 심회를 풀 만하였으므로 공암(孔巖) 허형(許衡) 등으로 더불어 도의계(道義契)를 맺어 서로 늘 모여 한가히 즐겨 노시었다.

매화를 읊은 시에 이르시되, "뒤뜰에 일찍이 매화 한 그루 심었더니, 섣달 날씨에 꽃답고 아리땁게 나를 위해 피었구나. 밝은 창가에 주역 읽고 향을 피워 앉았으니, 한 점 티끌도 오는 것이 없구나." 마침내 세상을 떠나시어 진주석과 동쪽 저동(猪洞)의 양지쪽 인좌(寅坐)에 묻히셨다.

시호는 원정(元正, 의를 행하여 백성을 기쁘게 함이 '원'이요, 정의로써 남을 복종하게 함이 '정'이다.)이다. 유상(遺像)을 진주 북쪽 집현산(集賢山) 응석사(凝石寺)에 봉안하였다. 후에 고헌(苦軒), 목옹(木翁) 양대 진상을 함께 모셔 보장고(寶藏庫)를 세우니, 위토 전(田)이 10 두락이요, 답(畓)이 66 두락인데, 모두 모태곡리(毛台谷里)에 있다.

통정(通亭) 강회백(姜淮伯)이 관인(寬仁)하고 중후(重厚)하시어 희로(喜怒)를 나타내지 않으시며, 일을 처결함이 정직하여 그 엄정하심을 감히 범할 수 없다고 일컫고 찬(贊)을 지어 이르되, "기풍이 존엄하시며 화순하고 너그러우시어 환히 비추는 가을달이요 부드러운 봄바람이로다. 품으신 영기 밖으로 퍼지니, 덕을 쌓으심이 그 안으로부터로다. 선행을 좋아하심 두터우셨고, 일을 처리하심 능통하시었도다. 끼치신 덕망 꽃다이 전해져, 찬란한 빛 다함 어찌 있으리요? 응석사 있는 집현산 위에 그 기운 높이 푸르러 있도다." 하였다.

매년 묘사는 10월 10일로 다시 정하고 유사(有司)는 돌려가면서 선택하며 위토 수입은 콩 9말, 보리 2석, 벼 30석인데, 벼 10석을 감출하여 토지를 장만하고 다음

해에도 벼 10석과 매입한 토지의 수입으로 토지를 추가 매입하여 연년이 계속하여 묘사를 보조하기로 약조하였다.

**밀양박씨** 송월당 박호원 신도비명(松月堂 朴好元 神道碑銘)

우리나라 인재의 번성은 명종, 선조 때에 극치를 이루었다. 비록 그동안에 소인들의 장난에 휘말리기도 하고, 당론이 두 갈래로 갈라어 국사의 처리를 혹 자기의 본래 취지와는 달리 하였다는 오류를 면치 못한 일도 있었으나, 중요한 것은 모두 덕망과 풍절을 숭상하여 나라의 중희(重熙)를 협찬(協贊)하는 석(碩)의 위치를 잃지 않았으니 아, 아 아름다운지고! 그 당시에 대사도(大司徒)였던 송월당 박공이 있었으니 역시 임금을 도운 여러 군자 중의 한 분이었다.

세상을 떠난 뒤 고양의 두응촌 계좌에 장사한 것은 선산이 있었기 때문이었는데 그의 후손 국자 규호(國子 圭浩) 군(君)이 신도비명을 나에게 청하거늘 어찌 감히 사양하겠는가.

공의 휘(諱)는 호원이요, 자는 선초(善初)이니 밀성의 후예인데 고려의 규정(糾正) 벼슬을 지낸 휘 현(鉉)이 시조(始祖)요, 이어서 전리좌랑(典理佐郎)인 문유(文有)가 있었다.

상장군(上將軍) 사경(思敬)은 전의판서(典儀判書)요, 침(沈)은 조선의 개국공신에 책훈(策勳)되어 호조판서에 추증되었고, 그 아들 강생(剛生)은 부제학(副提學)이요, 그의 아들 절문(切問)은 정자(正字)로 좌찬성(左贊成)에 추정되었다.

이분은 장원군 황맹헌(長原君 黃孟獻)의 따님에게 장가들어 가정(嘉靖) 정해년 (丁亥年)에 공을 낳았는데, 그 당시 가문(家門)이 크게 빛나 같은 당내(堂內)에 학 문의 인재가 수풀처럼 무성하였다. 공이 그 사이를 두루 다니며 훈자(薰炙)되고 연 마되어 덕기(德器)가 크게 이루어져 공헌왕(恭獻王) 병오년(丙午年)에 진사가 되 고 임자(壬子)년에 문과에 급제하였는데, 이때 종형(從兄) 근원(謹元), 인원(仁元) 과 종질(從姪) 계현(啓賢)이 함께 급제하였으므로 사람들은 넷의 봉(鳳)이 위의를 아울렀다고 하였다.

공이 전적(典籍)으로 승진할 때 이조정랑(吏曹正郞) 홍천민(洪天民)이 공을 자 기의 후임으로 천거하였는데 임금은 관서(關西)지방이 흉년이므로 반드시 현량 (賢良)한 인재를 보내야 한다고 하고 공을 용강현령(龍岡縣令)을 삼았다. 임기를 마치고 조정으로 돌아와 한림(翰林)을 거쳐 천거로 홍문관(弘文館) 전랑(銓郞)을 역임하고 의정부(議政府) 사인(舍人)이 되었으며 재상어사(災傷御史)가 되어 지방 으로 나가서 백성의 근심을 검찰(檢察)하니 백성은 괴로움이 없어졌다.

정묘(丁卯)년에 호서관찰사(湖西觀察使)가 되었으며 들어와서는 호조판서(戶 曹判書)가 된 지 6년 동안 청검(淸儉)으로 공무를 받들어 터럭만큼도 사사로이 하 지 않았다.

사는 곳은 겨우 초옥(草屋) 이십사간(二十四間)이요, 의정부(議政府) 참찬(參 贊)에 그치고 졸(卒)하니 곧 소경왕(昭敬王) 갑신(甲申) 4월 2일이었는데, 의정부 (議政府) 좌찬성(左贊成)에 추증되었다.

지금은 공의 세대가 삼백 년이나 되었고 또 여러 번의 병란에 문헌이 탕실되어 상세한 그의 평생의 일을 상고할 곳이 없다. 그러나 앞의 말한 바 임금의 마음에 들어 흉년과 재이(災異)를 규휼하는 임무를 맡긴 것을 보면 그의 측은한 마음으로 백성을 아끼고 성신(誠信)의 처신으로 임금을 감동시킨 것을 알 수 있다. 그리고 오랫 동안 호조의 판서로 출납을 마음대로 하였으나 집안의 형편은 쓸쓸하게 찬 기운이 감돌았던 정취를 보면 그의 염약(廉約) 근신(謹愼)하며 정도로 직무를 다한 자취를 상상할 수 있다.

문성공 이율곡(文成公 李栗谷)이 일찍이 공을 지목하여 탑용(偏傭)한 사람이라 하였는데, 이는 대개 그 당시의 시국이 극도로 혼란하여 갱장(更張)의 의논이 많았는데도 재상대신(宰相大臣)들은 왕왕히 자중하여 서로 앞장서지 않았으니, 큰 경륜(經綸)과 역량이 있어 알선하고 고무시켜 도주(陶鑄)할 사람이 아니면 변통(變通)의 방법을 경솔하게 의논할 수 없었던 것임이 확실하다. 생각건대 아마 공도 조심스럽고 침묵한 성품으로 옛날을 벗삼고 상도(常道)를 지켜 사건을 일으켜 시끄럽게 하는 것을 싫어하여 자중하는 대신들과 생각을 같이하였음이 확실한 것이니 문성공의 이 말이 마땅하나 공의 덕기를 아는 데는 해롭지 않다.

공은 시를 잘 하였는데 그가 호서의 관찰사로 있을 때 보령에 순시 차 이르러 경치가 아름다운 곳을 얻어 가오대(駕鰲臺)라 이름하고 시(詩)를 지었다.

> 대(臺)는 서쪽 바다 만리를 제압하고
> 봄바람에 경치는 유유하구나.
> 올라보면 영오(靈鰲)의 잔등에 걸터앉은 것 같고
> 바라보면 멀리 고목(古木)가로 통하였네.
> 날 저문 먼 산엔 해국(海國)이 아득하고
> 조그마한 돛단배는 어선임을 알겠구나.
> 분망한 이 신세는 문득 시골 노인 부러우니

대와 갈대 숲에다 두어 간의 집 지으리.

음조(音調)의 청원(淸遠)함과 취지의 편안스러움은 가슴속이 함께 깨끗하여지니 애를 써서 읊조리는 따위로는 미치지 못할 글이다. 더욱이 시골 노인과 두어 칸의 집을 부러워하는 뜻은 곧 공의 평소 뜻을 엿볼 수 있으며 마침내는 그 말을 저버리지 않았다.

공의 배위는 정경부인(貞敬夫人) 광산김씨(光山金氏)로 찬성(贊成) 명윤(明胤)의 따님이니 공의 묘 좌편에 부장(祔葬)하였다. 아들 딸 7형제를 두었는데 저현(著賢)은 판관이요, 구현(龜賢)은 참봉이요, 태현(台賢)은 감찰이요, 정현(鼎賢)은 판서요, 사위는 정랑(正郎) 윤홍의(尹弘毅), 진사 임홍정(任弘正), 사인(士人) 노수열(盧守悅)이다.

판관의 2남은 안중(安中)과 안성(安性)이며 사위는 이종의(李宗義)요, 참봉의 1남은 안지(安止)요, 사위 셋에 이교(李橋)는 판관이요, 정이임(鄭以臨)이요, 윤구(尹球)는 판관이다.

감찰의 두 사위에 이경엄(李景嚴)은 판서요, 송현조(宋顯祚)는 별좌(別座)며, 여남(餘男) 둘은 안선(安先)과 안후(安後)이며, 사위는 신택(申澤)이다. 판서의 두 아들은 안효(安孝)와 안제(安悌)로 모두 승지(承旨)이며, 사위 열하나에 정흔(鄭昕)은 수사(水使), 한기영(韓耆英)은 부사(府使), 윤탄(尹坦), 이륭(李隆)은 도사(都事), 윤경(尹頴), 조기(趙錡)는 참봉, 이후양(李後陽)은 장령(掌令), 이여순(李汝淳)은 진사, 남녑(南熀)은 봉사(奉事), 홍처약(洪處約), 이규진(李奎鎭)은 장령(掌令)이다. 사위 정랑의 1남은 윤유경(尹惟敬)이요, 진사의 2남 이달(李達)은 승지요, 효민(孝敏)이며, 노(盧)의 1남은 희립(希立)으로 후대(後代)에 현달한 인물이 있었으니 사평(司評) 노승후(盧承後)와 정랑(正郎) 노세웅(盧世雄)은 그의 증손, 현손이다.

공의 후손으로는 참봉 상직(相稷), 현령(縣令) 상빈(相彬), 동지(同知) 경학(經學), 현령(縣令) 경운(經運), 장령(掌令) 행순(行淳), 승지(承旨) 규순(奎淳), 정언(正言) 재기(在冀), 봉사(奉事) 응신(膺臣), 도정(都正) 공진(公鎭), 군수(郡守) 정진(正鎭), 감역(監役) 수홍(受弘), 도정(都正) 수영(受英), 선혜랑(宣惠郎) 수만(受晩), 교리(校理) 기훈(岐勳) 같은 이가 있으며 그 외 벼슬에 오른 분은 다 기록할 수가 없다.

드디어 명(銘) 하노니


아침 해가 돋음이여 덕휘(德輝)를 보았으니
생각건대 봉(鳳)의 위의(威儀)로다.
옥돌이 아니면 쪼지 않고 오동이 아니면 앉지 않았으니
왕국의 정절이라 기록함을 자랑 않고 공업(功業)에
급급하지 않았으니 군자의 용지(容止)일세.
수고롭되 뽐내지 않고 백성이 혜택을 받았으니
누가 그의 은혜임을 알았으랴?
아름다운 끝마침과 너그럽고 화락함을 자손에게 전했으니
그 덕택은 영구하리니 고양(高陽)의 언덕에 밝은 산의
무성한 숲은 군자가 편히 쉬는 곳이로다.


포산(苞山) 곽종석(郭鍾錫) 근찬(謹撰)

# 이사재기 (尼泗齋記)

이사재(尼泗齋)는 우리 선조 송월당공(松月堂公)께서 지으시고 그대로 후생(後生)들의 학문을 강구(講學)하는 장소로 삼았다. 대저 세상(世上)에는 고금(古今)으로부터 단지 하나의 이치(一理)만이 있으니 하늘이 한쪽으로 치우치지 않은 바른 덕과 진심을 베푸는 것도 이것이며 사람이 타고난 천성을 지킨다고 이르는 것도 또 이것이다. 그러나 그 타고난 기질이 모든 사람이 고르지 못(不齊)함이 있다.

이로써 성인(聖人)의 가르침이 있지(有敎) 않을 수 없으며 그 가르침은 그 당연(當然)함을 따라서 재량하여야 하고 배우는 사람도 또한 그 진실로 있는(固有) 것을 따라서 깨달아야 하며 그 천부의 성질(氣質)이 변하는데 그 천지 자연의 이치(天理)를 온전하게 간수함은 사람이 떳떳이 지켜야 할 도리를 날로 항상 쓰는(日用) 사이에서 나아가지 않으며(不出) 항상 너그럽고 넉넉한 듯하여야 한다. 이것은 우리 옛날의 성인(先聖)의 도리이며 선조(先祖)들께서 배운 것도 그러하였다.

이 도리를 준수하면 비록 재조가 주공(周公, 주나라 문왕의 아들이며 무왕의 아우)이 아니라도 오히려 극치를 이룰 수 있으며(造基極) 덕성이 우 임금이 아니더라도 오히려 그 치도를 법 받을 수 있다(法基治).

임금은 임금의 도리를 다하고(君君) 신하는 신하의 도리를 다하며(臣臣) 부모는 부모의 도리를 다하고(父父) 자식은 자식의 도리를 다하며(子子) 형은 형의 도리를 다하며(兄兄) 아우는 아우의 도리를 다하여(弟弟) 세상(天下)을 손바닥 위에서 운용하여도 진실로 사리를 명확하게 강구(講明)하지 않으면 모든 윤리(倫理)의 학문은 모두 쓸데없는 물건으로 돌아가서 날로 점점 분란(紛亂)하여져 큰 물이 흘러가듯 거리낌없이 속세의 애욕이 바다와같이 넓고 깊은 데에 빠져 들어가며 심하게는 사람의 욕심(人欲)이 천리(天理, 자연의 이치)를 위하여 아는 데에 돌아올 줄을 알지 못하는(不知) 사람이 많이 있으니(比比), 어찌 성인의 뜻을 같이하는 무리라고 이르며 현조(賢祖)의 후손(後孫)이 될 수 있을진지 송월공(松月公)이 어머니(母夫人)를 위하여 산소가 이산(尼山)과 사수(泗水)의 사이에 있는 까닭으로 비록 멀리 조정에서 벼슬하더라도 성묘하는 길을 일찍이 일년(一歲)이나 오래 궐하지 않았으며, 생각하는 마음을 일찍이 하루라도 혹 잊지 않았으니 이 땅을 몹시 그리워 하는 이는 그 어떻게 하리요.

이제 자손(子孫)이 선조의 공적을 우러러 사모하며 지성으로 향사하는 이 이사재를 버리고서 어찌 구하며 조상의 유덕을 그리며 숭배하여 받드는 이가 학문을 강구하지 않고서 어찌하리요. 오직 우리 어른과 어린이는 이사재로써 조상을 사모하는 자리를 삼아 서로 아침저녁으로 매우 부지런하고 정성스럽게 사물의 이치를 연구하여 지식을 명확히 하고 참되고 올바르게 하는 순서를 그대로 좇아 지키고 충성하고 용서하는 도리를 인연하여 예법을 잘 주선하여 선을 권장하고 악을 경계하는 데 스스로 힘쓰면 사물을 살펴보고 헤아리는 생각이 날로 진보하고 인격을 수양하는 것이 날로 진취하여 완전히 숙련한다.

한 몸을 한쪽으로 치우치지 않은 바른 성정의 지역에 두고 한 집을 세상의 모두가 그들의 위치에 만족하고 만물이 모두 충분히 육성하는 공효를 이루면 옛 성현(先聖)의 도리가 거의 후세에 전함에 있어서 추락하지 않으니 이것은 진실로 선조의 마음이며 후손이 마땅히 힘을 쓸 일이니 어찌 서로 더불어 힘쓰지 않을진저.

정유(丁酉) 시월(十月)
후손(後孫) 헌수(憲脩)는 삼가 기록(記錄)함

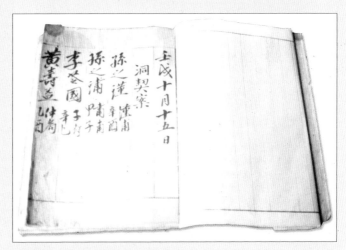

300년 전 남사예담마을 동약계 사진—1682년도의 창계남사동안(創契南沙洞案)

면우 곽종석 선생 문집

# 참고 문헌

· 『산청의 명소와 이야기』, 손성모 지음
· 『지리산 단속사―그 끊지 못한 천년의 이야기』, 박용국 지음, 최석기 감수, 보고사
· 『성주이씨 경무공파 세보』상편
· 『남사 성주이씨 천년의 역사』, 이상석 지음
· 『산청군지』, 산청군
· 『산청에서 띄우는 그림편지』, 이호신 지음, 뜨란
· 『한국 민족문화 대백과사전』, 한국정신문화연구원
· 경남일보 기획특집(2004~2006년) '강우유맥', 강동욱 기자
· 기타 각성(各姓)바지 집안 자료
· 『산청군 향토 문화지』, 산청문화원

## 이호신(李鎬信, 아호 현석玄石 · 검돌 · 검은돌)

· 동국대학교 교육대학원에서 미술 전공
· 성균관대학교 미술과 강사 및 여러 대학과 박물관 출강
· 개인전 20회(학고재, 금호미술관, 경남도립미술관, 한양대박물관, 겸재정선미술관 등)
· 단체전 100여 회

· 자연생태 우수마을 심의위원(2003년~현재, 환경부)
· 살기 좋은 지역자원 100선 심의위원(2008년, 행정자치부)
· 국립공원 경관 100선 심의위원(2010년, 산림청)
· 환경부 장관상(2003년)
· 농림부 장관상(2004년)
· 산림청장상(2004년)
· 문화포장(2017년, 국립공원50주년 공적 수훈)

· 주요 작품 소장
국립현대미술관, 이화여대 박물관, 산림청, 봉화군청, 주 탄자니아한국대사관,
주 핀란드한국대사관, 한양대박물관, 영국 대영박물관(한국관) 등

· 저서
『화가의 시골편지』(뜨란), 『근원의 땅, 원주그림순례』(뜨란)
『산청에서 띄우는 그림편지』(뜨란), 『우리마을 그림순례』(시사출판)
『그리운 이웃은 마을에 산다』(학고재), 『나는 인도를 보았는가』(종이거울)
『달이 솟는 산마을』(현암사), 『쇠똥마을 가는 길』(열림원)
『풍경소리에 귀를 씻고』(해들누리), 『우리그림이 신나요』1, 2 (현암사)
『숲을 그리는 마음』(학고재), 『길에서 쓴 그림일기』(현암사) 등

· 주소
경남 산청군 단성면 지리산대로 2897번길 20-1(남사리275-1) 오늘화실
이메일 lhs1957@nate.com

# 산청군 문화지도

함양군

지리산국립공원

천왕봉
(1915m)

덕계사

로타리산장

장터목산장

대원사

세석산장

삼장면

삼정지연휴양림

지리산성모상

내원사

시천면 덕천서원

청학생수련장

덕산제

12

1047 104

반천녹색농촌
체험마을

하동군

# 남사예담촌

초판 1쇄 발행 2012년 1월 20일 | 개정판 1쇄 발행 2018년 8월 30일
지은이 이호신 | 펴낸이 강성도 | 펴낸곳 뜨란 | 편집 정선우 | 디자인 산책자
주소 경기도 고양시 일산동구 중산로 206, 704-704
전화 031-918-9873 | 팩스 031-918-9871 | 이메일 ttranbook@gmail.com
페이스북 https://www.facebook.com/ttranbook | 등록 제111호(2000. 1. 6)
ISBN 978-89-90840-47-9  03810

ⓒ 이호신

 남사예담촌

주    소  경남 산청군 단성면 지리산대로 2897번길 10(남사리 281-1)
전    화  070-8199-7107
홈페이지  http://namsayedam.com